Sitte un

August Suerbaum

Sitte und Brauch unserer Heimat

H. TH. WENNER

3. veränderte Auflage

ISBN 3-87898-355-7

© H.Th. Wenner Osnabrück 1997
(2. Auflage ISBN 3-87898-242-9)
Printed in Germany

Inhalt

Vorwort 7
A. Der Jahreslauf 11
B. Bäuerliche Feste 42
  1. Die Hochzeit 42
  2. Die Kindtaufe (Kindkenhochtid) 68
  3. Tod und Begräbnis 72
  4. Die Tracht 86
C. Bei der Arbeit 94
  1. Die Ernte 94
  2. Das Dreschen 101
  3. Spinnen und Weben 105
  4. Große Wäsche 107
D. Das Essen 109
       109
Die Gemeinschaft 116
  1. Die Dienstboten („De Densten") 116
  2. Die Nachbarn 123
F. Das Haus und die Haushebung 127
       127
G. Sinnen und Denken 144
  1. Hexen und Aberglaube 144
  2. Volksheilmittel 146
  3. Tiere 150
  4. Mond und Sterne 153
  5. Wind und Wetter 153
  6. Wetterregeln 154
       155
H. Singen und Sagen 156
  1. Sagen 157
  2. Lieder und Reime 161
  3. Rätsel 168

Vorwort

In den letzten 100 Jahren ist nicht nur im wirtschaftlichen Leben unseres Volkes eine Umgestaltung vor sich gegangen, seine ganze Lebensweise hat sich verändert. Ganz besonders haben sich die Sitten und Bräuche, die einst Alltag und Festtage begleiteten, gewandelt, so gründlich, daß kaum noch ein Wissen des Früheren vorhanden ist. Und doch spiegeln sich gerade in den alten Sitten und Gebräuchen Vorstellungswelt und Denkart unserer Voreltern.

Sitte und Brauch gestalteten das ganze Leben unserer bäuerlichen Vorfahren. Jede wichtige Arbeit hatte ihr genau vorgeschriebenes Brauchtum. Es gab Regeln, an welchem Tage das Korn, der Flachs zu säen waren, an welchem Tage die Ernte begann, was zu Anfang oder am Ende der Sä- oder Erntearbeit zu sagen oder zu tun war, was es bei den einzelnen Begebenheiten oder Festen zu essen gab und vieles andere mehr.

Auch viele Tage des Jahres, besonders viele große und kleine Kirchen- und Heiligenfeste, hatten ihre bestimmten Gebräuche. Ganz besonders aber waren die bäuerlichen Feste mit Bräuchen ausgestaltet, vornehmlich Hochzeit, Kindtaufe und Haushebung. Aber auch bei Tod und Begräbnis schrieb die Sitte Reden und Handeln genau vor.

Sitte und Brauch haben sich nicht nur im letzten Jahrhundert geändert, sie blieben auch früher nicht immer gleich, aber ihre Änderung erfolgte ganz allmählich, oft kaum bemerkbar. Manche Bräuche blieben 100 und mehr Jahre unverändert. Wann und wie die einzelnen Gebräuche ursprünglich entstanden sind, können wir nur ganz vereinzelt angeben.

Die Bräuche sind meist über weite Gegenden verbreitet, aber selten ganz gleich. Hier ist die, dort jene Abweichung. Ich brauche nur an die alte bäuerliche Tracht zu erinnern. Sie war in unserer Gegend in den Grundzügen gleich und doch in Einzelheiten von Dorf zu Dorf wieder verschieden. Ja, in Dörfern mit religiös gemischter Bevölkerung ist oft die Tracht der einzelnen Konfessionen verschieden. Oft haben dieselben Gebräuche in einer anderen Gegend ganz andere Namen und andere Formen.

Das ganze Leben unserer Vorfahren war auf das engste mit unserm Herrgott, mit der Religion verbunden. Man dachte immer an Gott, sprach von ihm und richtete das ganze Leben nach dem Glauben ein. So ist es ganz natürlich, wenn der alte Gruß: „Gott hälpe ju!" und die Antwort: „Gott lause ju!" lautete. Die alte bäuerliche Bevölkerung von Oesede und Hagen war bis auf die Papiermühle in Oesede und einige Bauern in Natrup-Hagen katholisch. Diesen ihren Glauben werden wir überall in ihren Gebräuchen, ganz besonders in dem Jahresbrauchtum und bei den Gebräuchen beim Tode finden. Allerdings finden wir auch manchmal Handlungen oder noch mehr Redensarten, die dem christlichen Glauben nicht entsprechen: Aberglauben, Hexenglauben und noch manches andere.

Seit etwa 70-80 Jahren nun fingen Sitte und Brauch an, nach und nach ihre herrschende Stelle zu verlieren. Bald hier, bald dort ließ man sie ganz oder teilweise außer acht. Sie wurden seltener, Teile gingen verloren und verschwanden fast ganz, verschwanden, ohne daß neue dafür eintraten. Das Leben wurde überall nüchterner, poesieloser. Spott, Hohn, Gelächter können Sitte und Brauch nicht vertragen, sie benötigen, ich möchte sagen: gläubige Teilnahme. Heute kann man das untergegangene Brauchtum nicht wieder ins Volk bringen, wohl aber Bräuche, die noch im Volksbewußtsein halbvergessen schlummern.

Im folgenden habe ich versucht, das entschwundene Brauchtum unserer engsten Heimat aufzuzeichnen. Dargestellt sind die Bräuche im allgemeinen so, wie sie etwa vor 60 – 100 Jahren bei uns ausgeübt wurden, gelegentlich sind ältere Formen erwähnt. Zugrunde gelegt sind die Gebräuche des alten Kirchspiels Oesede (Oesede, Dröper, Kloster-Oesede). Sie wurden dann erweitert, indem das Brauchtum des alten Kirchspiels Hagen (Hagen, Altenhagen, Mentrup, Gellenbeck, Natrup-Hagen, Sudenfeld) dazugenommen wurde. Soweit es nicht besonders angegeben ist, stimmen beide überein. Eine Zusammenstellung der Gebräuche des ganzen ehemaligen Kreises Iburg war ins Auge gefaßt, konnte aber nicht durchgeführt werden, jetzt ist es zu spät, die alten Leute, die die alten Bräuche noch mitgemacht haben, sind verstorben. Vielfach war es schon bei der Sammlung, die hauptsächlich in den Jahren 1929 – 1935 erfolgte, zu spät. So oft kam die Antwort: „Ich habe davon gehört, aber ich weiß es nicht mehr." Die ganze Sammlung ist einzig und allein auf Aussagen alter Leute oder auf Akten aufgebaut. Manchmal lag die Versuchung nahe, Brauchtum anderer Gemeinden aufzunehmen, zumal es sicher in älterer Zeit auch in Oesede und Hagen war, ich habe aber grundsätzlich nur nachgewiesenes Brauchtum der beiden Kirchspiele aufgenommen. Das Buch soll nur eine Zusammenstellung alter Sitten sein, es bringt keine Deutung, wenn sie nicht vom Volke selbst gegeben wurde. Eine wissenschaftliche Deutung kann nur auf größerer Grundlage erfolgen und ist Arbeit berufener Fachleute.

In der sprachlichen Wiedergabe habe ich mich bemüht, soweit es eben möglich war, die Ausdrucksform der älteren Leute zu gebrauchen, z. B. bei den Formen, die Unglück andeuten: das ist nicht gut, das soll man nicht tun, das darf man nicht, oder beim Trinken: einen (ein Glas Schnaps) ausgeben, einen vertragen können, einen einschenken.

Eine liebe Pflicht ist es mir, all denen zu danken, die mir bei der Sammlung behilflich waren. Es war eine Freude, zu sehen, wie die Männer, die größtenteils 60, 70, ja 80 Jahre alt waren, auch weitere Wege nicht scheuten und ganz regelmäßig zu unseren Aussprachtagen, die jahrelang etwa alle 6 Wochen stattfanden, erschienen. Und bei der Aussprache selbst konnte ich immer wieder feststellen, daß es ihr Bestreben war, nicht nur das Alte zu berichten, nein, sie waren gewissenhaft bemüht, nur das zu bringen, was sie wirklich erlebt oder was Sie von ihren Vorfahren persönlich erfahren hatten. Sie selbst wiesen auf jede Abweichung gegenüber anderen Gemeinden hin, verbesserten selbst, wenn ihnen eingefallen war, daß in der letzten Versammlung etwas nicht richtig geworden war. Die Zusammenkünfte waren für sie und für mich eine Freude. Die meisten Mitarbeiter sind seit 1937 dahingegangen, sie ruhen in der Heimaterde.

Mein besonderer Dank gilt den Herren Brunemann, Gervelmeyer, Niermann, Hüsing†, Mentrup†, Steinfeld† und

Suttmeyer aus Kloster-Oesede, O. W. Weber† und Wort-
mann† aus Oesede, Konersmann† aus Natrup-Hagen, Pöt-
ter aus Gellenbeck und Gretzmann aus Sudenfeld.

Ich danke auch dem Vorsitzenden des Heimatbundes des
Kirchspiels Hagen, Herrn Escher, der durch seine uner-
müdlichen Verhandlungen die Herausgabe des Buches er-
möglichte, und Herrn Hasekamp, der die Bilder zur Verfügung stellte.

Gellenbeck, Weihnachten 1950.

A. Der Jahreslauf

Das Leben unserer Großeltern floß ruhiger und gleichmäßiger dahin als das der heutigen Generation. Kino, Thea-
ter und öffentliche Tanzvergnügen gab es auf dem Lande
noch nicht. Ist es da verwunderlich, daß unsere Großeltern
die spärlichen Gelegenheiten, wie Hochzeit, Kindtaufe und
Haushebung, gründlich ausnutzten ? Aber auch sonst ging
nicht alles Tag für Tag den gleichen Gang. Unsere Vorfahren
sorgten schon dafür, daß mancher Tag im Jahre ein frohes
Gesicht bekam. Nur hatten sie es nicht so einfach wie wir,
die wir uns gemächlich auf einen Stuhl setzen und andere
Leute für unsere Unterhaltung und Belustigung sorgen
lassen. Damals hieß es: wer Spaß haben will, muß selbst
mitmachen. Durchweg war es natürlich die Jugend, die die
Sache in die Hände nahm. Daß diese dafür ihren Lohn
forderte, ist selbstverständlich. Aber sie war leicht zufrie-
denzustellen, ein kleines Geschenk, meist schon ein Glas
Schnaps, genügte ihr. Bei allen größeren Festen war aber
gutes Essen und Trinken die Hauptsache.

Neben den eigentlichen Festen hatten noch viele Tage im
Jahre ihre besondere Bedeutung. Da gab es Tage, die für das
Wetter bedeutungsvoll waren, wieder andere, an denen
bestimmte Arbeiten vorgeschrieben waren, aber noch mehr
Tage, an denen irgendwelche Arbeiten nicht vorgenommen
werden durften. Einige Begebenheiten brachten Glück
oder kündigten es wenigstens an, andere wieder bedeuteten
Unglück. Auch konnte man den Segen des Himmels durch
besondere Mittel herbeiführen, andererseits aber die bösen
Mächte fernhalten. Inwieweit sich in diesen Gebräuchen
noch jahrhundertalte, ja heidnische Vorstellungen wider-
spiegelten, bzw. noch im Volksglauben fest verwurzelt waren, läßt sich nur teilweise feststellen. Es soll nun das Jahr,
wie es sich in Sitte und Brauch zeigt, durchgegangen werden. Bemerkt werden muß, daß unsere Vorfahren nicht
nach Tag und Monat, sondern nach den kirchlichen Festen
und Heiligentagen rechneten. Deshalb wird auch das kirchliche Jahr den Ausführungen zugrunde gelegt.

Advent: Der Advent gehörte zu den stillen Zeiten. Hochzeiten fanden in dieser Zeit nicht statt. Der Adventskranz

war nicht bekannt. Als Wetterregel galt: „Schnigget et 'n
ersten Sönndag in Advent, dann ist de ganze Winter 'n
Tänt." Daneben heißt es: „Fällt de erste Schnei in 'n Dräck,
bliff de ganze Winter 'n Gäck."

Nikolaus (6. Dezember): Der Nikolaus (Sünne Klaus)
kam auch früher schon, aber sein Fest hat eine Wandlung
durchgemacht. Während er jetzt der gute Nikolaus ist, der
den Kindern Geschenke mitbringt, war er damals durchaus
ein böser Mann und Kinderschreck. Mit einer gewaltigen
Rute, auf dem Rücken den Sack, in den die schlechten
Kinder kamen, trat er in die Stube. Eine ausgestopfte Puppe
oder ein Paar Stiefel, die oben herausragten, gaben dem Sack
ein noch schrecklicheres Aussehen. Ein schauriges Kettengerassel versetzte auch die kecksten Kinder in Angst. Der
„Sünne Klaus" ließ die Kinder beten, fragte auch wohl nach
den Schularbeiten und ließ sie sich vorzeigen. Als böser
Mann brachte er keine Geschenke mit, nicht einmal Äpfel.
Er wies nur auf die Gaben des Christkindes hin. Erst vor
einigen Jahrzehnten kam der Brauch auf, daß Nikolaus
Gaben bringt.

Thomas (21. Dezember): Am Tage des heiligen Thomas
wurde das Weihnachtsbrot gebacken. Während es sonst das
ganze Jahr hindurch nur Schwarzbrot gab, wurde zu Weihnachten „Weißbrot" (Bauernstuten, nicht unser heutiges
Weißbrot) hergestellt. „Thomas backet wie de Stuten, du
growe Wind, bliwe du do buten." Wie selten in den Bauernhäusern das Weißbrot war, zeigt der Spruch: „Wihnachten backet jedermann, Ostern, de et kann, Pingsen de rike
Mann." Der Weihnachtskuchen (kein Kuchen, wie er jetzt
üblich ist, sondern ein Weißbrot mit Korinthen, ähnlich
unsern heutigen „Korinthenstuten") wurde mit dem Brot
im Backofen gebacken. Von Thomas bis zum Fest der
Heiligen Drei Könige durfte kein Brot gebacken werden.
Diese Regel wurde streng beachtet.

Weihnachten: An den Abenden vor Weihnachten, Neujahr und am Tag der Heiligen Drei Könige durfte nicht
gesponnen werden. An diesen Tagen mußten mittags die
Rocken leer sein, die Spinnräder wurden weggesetzt. Wer
die vorgeschriebene Zahl Gebinde nicht fertig hatte, bekam
für den fehlenden Rest einen Teil seines Lohnes abgezogen.

War an den genannten Tagen der Rocken nicht aufgesponnen, so kamen die „Nachtmahnen" (Nachtmahren), „vertüdderten" sowohl den Flachs wie das Garn und bedrängten auch den Saumseligen.

Von den „Nachtmahren" sprachen die alten Leute viel, und sie waren auch von ihrem Dasein fest überzeugt. Allerlei Böses wurde diesen nächtlichen Geistern zugeschrieben. Hatten die Pferde nachts die Mähne stark zerzaust, war es das Werk der Nachtmahren. Hatte einer nachts schwer geträumt, hieß es: „Den haben die Nachtmahren untergehabt." Man stellte sich diese als eine Art Zwerge vor. Sie schlichen ganz still und leise in die Kammer, man bemerkte wohl ihr Kommen, konnte sich aber nicht bewegen und wehren. Die von den Nachtmahren Geplagten litten dann schwer unter Atemnot, da die bösen Wichte sich auf die Kehle legten. Gegen Nachtmahren schützte man sich, indem man die Holzschuhe verkehrt vor das Bett stellte. Pferden, die unter den Wichten zu leiden hatten, mußte man die „vertüdderten" Zöpfe abschneiden und verbrennen, dann hatten die Tiere Ruhe.

Von Weihnachten bis zum Feste der Heiligen Drei Könige durfte kein Brot gebacken, kein Dünger gefahren und keinerlei Ackerarbeiten verrichtet werden. Auch durften in dieser Zeit die Ställe nicht ausgemistet werden, sonst warf man das Glück aus dem Stall. Kein Pflug oder sonstiges Ackergerät blieb auf dem Acker liegen. Dreschen im Hause war gestattet. Wir sehen, wie die „Heiligen zwölf Nächte" unserer germanischen Vorfahren sich fast bis auf unsere Zeit im Volksgebrauch unserer Heimat erhalten haben.

Am Nachmittag vor Weihnachten mußten verschiedene Dienstboten besondere Arbeiten verrichten. Die Großmagd hatte sämtliche Schuhe zu putzen, sogar die Akkerschuhe der Knechte. Sonst mußte jeder Dienstbote seine Schuhe selbst besorgen. Der Großknecht (Schulte) begann sofort nach dem Mittagessen damit, alle Spinngewebe unter dem „Balken" (Decke der Diele) zu fegen und hernach die Diele selbst zu reinigen. Der Pferdeknecht hatte die Spinngewebe im Stalle, und zwar im Pferde- wie im Kuhstalle, zu entfernen. Der Kleinknecht oder der Junge holte Feuerholz für die Festtage ins Haus. An hohen Feiertagen selbst durfte kein Holz ins Haus geholt werden. Die Kinder stellten auch ein Gefäß mit Rüben, Heu oder dergleichen vor das Hühnerloch in der großen Einfahrtstür, damit der Esel des Christkindes fressen konnte.

Am Abend, kurz vor dem Zubettgehen, wurden im Hause alle drei Weihnachtsevangelien vorgelesen. Nachher bekam jeder Dienstbote ein „Kastenmännken" (25 Pfg.). Dieses Geschenk hieß „Opfergeld".

Nachdem sich alle zur Ruhe begeben hatten, schmückten der Bauer und seine Frau den Tannenbaum und legten die Geschenke auf den Tisch. Durchweg war für jeden Hausbewohner ein Teller aufgestellt, der mit Äpfeln und Nüssen gefüllt wurde. Es gab nur geringe Geschenke. In älterer Zeit erhielten in der Regel die Mägde nur eine Schürze, die Knechte etwas Tabak und wohl noch ein Paar Socken. In neuerer Zeit rechnete man für einen Taler Ware, meist Leinwand („Laken"), die Großmagd erhielt stets einen Bettbezug („Berrebüren").

Der Tannenbaum ist schon lange bei uns heimisch, nur war er früher ganz einfach geschmückt. Nüsse wurden durchbohrt und mit einem Zwirnsfaden aufgehängt, daneben bildeten noch Äpfel und etwas Backwerk den Schmuck. Gebacken wurden hauptsächlich Tierformen: Hahn und Huhn, Pferde, Kühe und anderes. Stets gehörten aber auch Adam und Eva dazu. Kerzen nahm man von dem sogenannten Wachsstapel. Diese aus reinem Bienenwachs hergestellten Wachsstapel waren lange, biegsame, etwa bleistiftdicke Kerzen, die in zwei übereinanderliegenden Spiralen (also ähnlich einer doppelten Spiralfeder oder einem Röllchen Kautabak) aufgerollt waren. Die Wachsstapel nahm man am Weihnachtsmorgen auch mit zur Kirche, da dort noch keine Lampen vorhanden waren.

Am Weihnachtsmorgen ging alles zur „Kasucht" (Weihnachtsmette, Uchte = Dämmerung), die in Hagen und Oesede um 5 Uhr, in Kloster-Oesede um 6 Uhr begann. Nur die Großmagd blieb zu Hause. Vor der Kasucht durfte man nicht die geringste Arbeit verrichten und auch die Geschenke nicht besehen. Zur Mette legte man noch nicht den „besten Staat" an, meist ging man sogar in Holzschuhen. Nachher gab es ein großes Wettrennen zwischen dem

Großknecht und der Magd. Kam der Großknecht zuerst zu Hause an, so sollte es im ganzen Jahr nur Bullenkälber geben, war aber die Magd die erste, so gab es nur Stärkenkälber. Aber auch die andern hatten es eilig, um zum „Stutensoppen" (mit Fleischbrühe übergossene Weißbrotwürfel) zu kommen. Zu dem Stutensoppen gab es rohe Mettwurst, soviel jeder wollte. Wie auch an jedem anderen Sonn- und Feiertage ging nachher alles zum Hochamt. Während des Hochamtes blieben nur zwei Frauen zu Hause, um das Essen vorzubereiten. Selbstverständlich gab es zu Weihnachten ein Festessen, welches stets Suppe, Braten und als Nachtisch „dicken Reis" brachte. In Osnabrück riefen an solchen Tagen die Städter: „Kiek es, wat löp de bur, he krig vandage Suppen."

Die Andacht am Nachmittag hieß „Staustandacht", da man im „besten Staat" hinging. Sie wurde in Oesede auch wohl „Haufärrige Brörschup" (hoffärtige Bruderschaft) genannt, da die Gebete der Todesangstbruderschaft gebetet wurden. In Hagen wurde aber wie auch Ostern und Pfingsten die Vesper gesungen. Nach der Andacht gingen die Dienstboten, ohne die Bauern, „to Beer". Jeder bekam einen „Krohs" (Krug) Bier. Der Großknecht hatte die Großmagd, der erste Knecht die erste Magd und der zweite Knecht die zweite Magd freizuhalten. Vielfach bezahlten auch alle Knechte zusammen die ganze Zeche, die Mägde waren aber stets frei. Für diese Zusammenkunft hatte jede Abteilung der Bauerschaft ein bestimmtes Wirtshaus. Getanzt wurde nicht. Gegen Einbruch der Dunkelheit gingen alle nach Hause.

Um die Weihnachtszeit hatten die Bauern an den Pastor den sogenannten „Pröven" (Pfründe) zu geben. Die Voll- und Halberben gaben ein Schwarzbrot von 25 Pfund, eine Wurst von zwei Ellen und eine Kerze oder 3 Pfg. Die Erbkötter hatten 1 Schilling (12 Pfg.) und die Markkötter 6 Pfg. zu geben.

Am ersten Weihnachtstage machte man keine Besuche, wie überhaupt am ersten Tag der vier „Hochtien" (Hochzeitliche Feste: Weihnachten, Ostern, Pfingsten und Mariä Himmelfahrt) nicht. Als Wetterregeln für Weihnachten galten: Weihnachten im Schnee, Ostern im Klee. Gröne Wihnachten, Witte Ostern. Wihnachten und Niggejohr wärt selten öwereen. Weihnachten im Schnee, schreit der Bauer „Juchhe".

2. Weihnachtstag, Stephanus: Am 2. Weihnachtstage wurde in Oesede für das Vieh geopfert. Jeder legte ein Geldstück auf einen Teller, der auf der Kommunionbank aufgestellt war. Der Ertrag gehörte dem Pastor. Vor der Predigt betete derselbe dann von der Kanzel aus für das Gedeihen des Viehstandes.

Silvester und Neujahr: Wie schon erwähnt, wurde am Nachmittag von Silvester nicht mehr gesponnen. Die Rokken mußten leer sein. Zum Abendbrot gab es an diesem Tage eine besondere Portion Fleisch, „den Rest vant Johr". Sonst erhielt das ganze Jahr hindurch niemand zum Abendbrot Fleisch, außer demjenigen, welcher von dem zugeteilten Mittagsstück etwas übriggelassen hatte. Nach dem Abendbrot wurde bis Mitternacht Karten gespielt. Nach 12 Uhr gingen die jungen Leute rund und schossen hinter den Häusern. Man sagte dazu: „Dat aule Johr wägscheten und dat nigge Johr anscheten." Dabei sang die Gesellschaft:

1. Vorsänger A   Guter Freund, ich frage dir.
   Vorsänger B   Bester Freund, was sagst du mir?
   Vorsänger A   sag' mir, was ist eins?
   Vorsänger B   ein mal eins ist Gott allein, der da lebt,
                    der da schwebt
                    im Himmel und auf Erden.
   Alle: Freunde, laßt uns lustig sein in
                    diesem neuen Jahre.

2. Vorsänger A   Guter Freund, ich frage dir
   Vorsänger B   Bester Freund, was sagst du mir?
   Vorsänger   A sag' mir, was ist zweie?
   Vorsänger B   Zwei Tafeln Moses.
   Alle: Ein mal eins ist Gott allein,
                    der da lebt, der da schwebt
                    im Himmel und auf Erden.
                    Zwei Tafeln Moses.
                    Freunde, laßt uns lustig sein
                    in diesem neuen Jahre.

3. Vorsänger B   Drei Personen.
4 Vorsänger B   Vier Evangelisten.
5 Vorsänger B   Fünf Wunden Christi.

6	Vorsänger B	Sechs Krüge mit rotem Wein, schenkt der Herr zu Kana ein, zu Kana in Galiläa.
7.	Vorsänger B	Sieben Sakramente.
8.	Vorsänger B	Acht Seligkeiten.
9.	Vorsänger B	Neun Chöre der Engelein.
10.	Vorsänger B	Zehn Gebote Gottes.
11.	Vorsänger B	Elftausend Jungfrauen.
12.	Vorsänger B	Zwölf Apostel Christi.

Bei jeder Strophe wiederholte sich das Frage- und Antwortspiel, und alle wiederholten als Kehrreim alle vorhergegangenen Strophen mit dem Schlußsatz: „Freunde, laßt uns lustig sein in diesem neuen Jahre." Die Sänger und Schützen erhielten von dem Hausherren ein Glas Branntwein.

Für Neujahr galt die Wetterregel: Morgenrot am ersten Tag bedeutet Krieg und große Plag. Der Neujahrswunsch lautete: „Ik wünske di 'n glücksiäliget nigget Johr." Jeder suchte dem anderen das „Neujahr abzugewinnen", d. h. dem anderen mit dem Neujahrswunsch zuvorzukommen. Der Gewinnende hatte sich damit ein Geschenk verdient. In einem Schaltjahr dagegen sollte der Gewinnende ein Geschenk machen. Doch tatsächlich erhielt in keinem Falle jemand etwas. Es wurde auch „keiner ausgetan", d. h. kein Glas Schnaps gespendet.

Die Schulkinder schrieben zu Neujahr Neujahrsbriefe an ihre Eltern und Taufpaten. Letztere hatten dafür ein Geldgeschenk zu geben. Die Kommunionkinder, damals die Kinder des letzten Schuljahres, da die erste heilige Kommunion und die Schulentlassung zusammenfielen, schrieben auch Neujahrsbriefe an den Pastor und den Lehrer, die Kinder von Kloster Oesede noch dazu an den Kaplan in Kloster-Oesede.

Bis zum ersten Weltkriege war es üblich, daß die Handwerker nur einmal im Jahre, und zwar zu Neujahr, Rechnungen schrieben. Sie kamen aber mit diesen nicht zu Neujahr, sondern erst in den nächsten Tagen, meist erst gegen Ende Januar zu ihren Kunden. Das Ausstellen der Rechnungen war aber in älterer Zeit, als Schreiben und Rechnen noch für viele eine schwere Arbeit war, oft mit Schwierigkeiten verbunden. So erzählt man von einem Schmied, der dem Lehrjungen auftrug, die Rechnungen zu schreiben. Auf die Frage des Jungen, was er denn schreiben solle, erfolgte die Antwort: „Nach Erbesgerechtigkeit: dem Vollerben x Taler, dem Halberben die Hälfte, und dem Kötter ein Viertel davon." Die alten Leute erzählen noch jetzt von Handwerkern, die so verfahren seien.

Heiligen Drei Könige (6. Januar): Wurde trotz des strengen Verbotes am Vorabend des Festes gesponnen, so klopften die „Heiligen Drei Könige" (junge Leute) an das Fenster und riefen: „O du hilgen dre Königsfam (=faden), bekleide minen nackten Arm." Am Abend vor dem Feste wurden „Piwwekoken" gebacken. Dazu benutzte man die „Piwwekokenpannen", die unsern Waffeleisen mit langem Stiele ähnlich waren und auf ihren Innenflächen die Anfangsbuchstaben des Bauernhofes, Figuren oder Inschriften trugen. Der Kuchenteig wurde aus Weizenmehl hergestellt und stark mit Anis gewürzt. „Kümmel un Anis, dat is olle en Pris", sagte man. Von dem Teig schnitt man kleine, walnußgroße Stücke ab, rollte sie zu kleinen Bällen und legte sie zwischen die Eisen der „Pfanne". Beim Zusammendrücken gaben die kleinen Teigkügelchen einen „Pfiff" von sich, daher der Name „Piwwekoken". Die Eisen hielt man dann über die mit glühender Holzkohle gefüllten „Stüöffken", das waren kleine eiserne Töpfe mit eisernen Stielen, die auf drei Füßen standen, rundherum Ritzen und unten eine Roste hatten. Vor dem Gebrauch wurden die Eisen mit einer Speckschwarte eingerieben. Die fertigen „Piwwekoken" waren etwa handgroße, 5 mm dicke Scheiben. Es wurden Hunderte solcher Kuchen gebacken.

Am Vorabend des Festes schrieb man die Anfangsbuchstaben der Heiligen Drei Könige an sämtliche Außentüren des Hauses, dann sollten keine Kriegssoldaten durch diese Türen kommen. Die drei Anfangsbuchstaben mußten aber als Großbuchstaben in einem Zuge aneinander geschrieben werden.

Zum Festtage selbst wurden, wie noch heute üblich, in der Kirche zu den Figuren der Krippe die Heiligen Drei Könige gestellt. Verkleidungen, Umzüge und Heischgänge gab es zu diesem Feste in Oesede nicht. In Hagen waren sie aber Brauch. Dabei sprach man:

Ik bin Melchior, sau witt un sau fin,
os en Herr Graf kann sin.
Ik bin de swatte Kasper, bin woll nich sau nütlik un sau nett,
owwer ik schlüre doch sau mett.
De Wäg vant hilge Land, de is woll wit,
do kriegen wi unnerwächens ok woll Appetit.
Wi könt us dat Geld nich van de Tüne briäken,
do möt wi mildtätige Lüe ümme anspriäken.
Drum Lüe gripet in ju Pottmanee,
giwet us en'n Grössen, twee orre dree,
je mär gi us giwet, je gröter de Dank,
dann singet wi auk usen Hilgendreekönigsgesang.

Dann wurde gesungen:

1. Wir sind die Heiligen Drei Könige aus Morgenland,
   den Herrn zu suchen, den Gott gesandt.
   (andere Passung: wie bringen das Glück in jedes Land)

2. Wir kamen wohl vor Herodes' Tür,
   Herodes stand wohl selbst dafür.

3. Herodes sprach mit Schimpf und Spott:
   Warum ist der dritte Mann so schwarz?

4. Der dritte Mann ist wohlbekannt,
   das ist der König aus dem Morgenland.

5. Aus Morgenland, aus Sabaoth,
   da wo die Sonn' am höchsten stand.

6. Wir singen mit Freuden den Berg hinan,
   der Stern, der ging wohl vor uns an.

7. Der Stern stand still wohl über'm Stall,
   daran hat Gott sein Wohlgefall'n.
   S. Wir gingen wohl in den Stall hinein
   und fanden Maria mit dem Kindelein.

9. Ein kleines Kind, ein großer Gott,
   der Himmel und Erde erschaffen hat.

Nachdem sie eine kleine Gabe erhalten hatten, sprachen sie als Dank:

a) Ihr habt uns eine kleine Gabe gegeben,
   der liebe Gott lasse euch in Frieden leben.

b) In Frieden leben im neuen Jahr
   wünscht Kaspar, Melchior und Baltasar.

Der Dank wurde manchmal auch mit folgenden Versen
ausgedrückt:

a) Wir wünschen der Frau (Braut) einen goldenen Tisch
   und an den Ecken einen gebrat'nen Fisch.

b) Wir wünschen der Tochter einen goldenen Kamm
   und über's Jahr einen Bräutigam.

c) Wir wünschen der Magd eine Kaffeekann'
   und über's Jahr einen alten Mann.

d) Wir wünschen dem Knecht einen Dreschflegel in der
   Hand,
   damit er dreschen kann sein Leben lang.

e) Und wer uns was gegeben hat,
   dem wünschen wir die gute Nacht.

f) Und wer uns nichts gegeben hat,
   dem wünschen wir das Galgenrad.

Am Abend des Festtages wurde von 6 bis 7 Uhr mit allen
Glocken geläutet, man sagte dazu: „Die Heiligen Drei Könige wegläuten", und nicht, wie heute gesagt wird: „Die
Feiertage wegläuten." Man dachte an den Abschied von der
Krippe. Während man läutete, ging ein Mann in die nächsten Häuser bei der Kirche und sammelte „ dat Klok-
kenschmiär", ein Trinkgeld für die Läutemannschaft. Es
wurde gleich nachher in Schnaps oder Bier umgesetzt.

Im Hause wurde an diesem Tage der Tannenbaum geplündert. Als Wetterregel galt: Hilgen dre Könige maket de
Brüggen, orre se briäket de Brüggen (machen oder brechen
die Brücke — Eis).

„Fabian und Sebastian (20. Januar), dann döt de Saft in
de Bäume gan." Nach diesem Tage durfte kein Holz, wenigstens kein Tannen- und Buchenholz mehr gefällt werden, da es dann nicht mehr haltbar sei.

„Middewinter (25. Januar), dann kann no 'n lenig (junges,
lediges) Hatte Kaput gaun", d. h., es kann noch sehr kalt
werden. Nach dem kirchlichen Feste Pauli Bekehrung

nannte man den Tag auch „kaulen Paul". Er galt als der
kälteste Tag des Jahres. Als Wetterregeln für den Januar
galten: Ist de Jänner natt, bliff lieg (leer) dat Fatt. Tanzen im
Januar die Mucken, muß der Bauer nach dem Futter guk-
ken.

Lichtmeß (2. Februar) ist mit einer der im Volksbrauch
bedeutsamsten Tage. Lechtmiß hell un klor, giff 'n goët
Flasjohr (Flachsjahr). Lechtmiß hell und klor, giff 'n goët
Botterjohr. Lichtmeß hell und rein, wird noch ein strenger
Winter sein. Lichtmeß im Schnee, Ostern im Klee. Lechtmiß drögt den Patt, dann get oll wä 'n ault Wif mit Egger
un Bottern no'r Stadt. Lechtmiß fanget de Dage an to
längern un de Winter an to strengern. Wenns an Lichtmeß
stürmt und schneit, ist der Frühling nicht mehr weit.

Auf einige dieser Wetterregeln nehmen noch besondere
Volksausdrücke Bezug. Lichtmeß nennt man auch „Höner-
meedag" Maitag), weil um diese Zeit die Hühner wieder
anfangen zu legen. Man merkt schon, daß der Winter ab-
zieht, jeder Tag wird soviel länger, „dat de Hahn äslinks
öwer de Troon träen kann" (rücklings über die Wagen-
furche treten). Daneben hieß es auch: „trüggewäts öwer de
Niendür flüg." Diese Verlängerung der Tage zeigte sich
auch in der Arbeit. Von diesem Tage an arbeiteten die
Handwerker bei den Bauern nur noch bei Tageslicht, nicht
mehr bei der Lampe.

Eine gebräuchliche Redensart war der Ausdruck: Et is
Lechtmissen inne Tasken, d. h., er hat kein Geld mehr. Eine
Eigentümlichkeit des Lichtmeßtages war es auch, daß dann
die Mädchen bezahlen mußten: „Lechtmiß möt de Fruslü
betahlen." Die Wirtin und Frauen, die in eine Wirtschaft
kamen, mußten einen ausgeben. Nach der Nachmittags-
andacht gingen die Dienstboten in ein Wirtshaus, und die
Mägde bezahlten für die Knechte. Am Lichtmeßtage war in
Oesede und Hagen nach der Kerzenweihe eine Prozession
um die Kirche, die sogenannte Lichterprozession, daran
nahm die ganze Gemeinde teil, aber nur der Pastor trug eine
lange Kerze. In Kloster-Oesede war keine Prozession. In
Hagen ging die Prozession „unten durch das Dorf" (Beck-
mann, Dammermann, Kirchhofstreppe).

Blasius (3. Februar). Der Blasiussegen wurde nicht ausgeteilt. Dieser kirchliche Brauch wurde erst nach 1900 eingeführt.

„*Sünne Peter*" (Petri Stuhlfeier, 22. Februar) war wieder ein besonderer Tag. Im Winter mußten früher auf dem Lande alle, Männer, Frauen und auch größere Schulkinder, spinnen. Um diese Zeit mußte die Spinnarbeit aber fertig sein, es ging wieder auf den Acker. „Sünne Peter Spinnrad anne Wand und 'n Plogstärt inne Hand", hieß es. Die schlechteste Zeit war vorbei, die Sonne bekam schon wieder Kraft. „Van Sünne Matten (Martin, 11. November) bes Sünne Peter is dat beuse Verdeljohr." „Sünne Peter fällt de Schnei upp'n heten Steen."

Es wurde früher auch Zeit, daß die Sonne wieder kam und es draußen grün wurde. Viele Bauern und besonders die „kleinen Leute" ernteten nur sehr wenig oder gar kein Heu; Steck- und Runkelrüben waren auch kaum vorhanden. Vor 200 Jahren hatten auch die größten Bauern durchweg nur 3 bis 5 Fuder schlechtes Heu. Da war es kein Wunder, daß um „Sünne Peter" manche Kuh „dat Krut" oder „de Krutkrankhet" (Krautkrankheit) hatte, d. h. von dem täglichen Strohfutter so schwach geworden war, daß sie nicht mehr aufstehen konnte. Dagegen gab es ein recht wirksames Mittel. Man machte der „krutkanken" Kuh einen Schnitt in den Schwanz und tat in die Wunde „Rahmknoppen" (Rußstückchen). Von dem beißenden Schmerz wurde eine so behandelte Kuh hochgetrieben. Statt Ruß nahm man auch wohl Salz oder Kohlsamen. Nach der Behandlungsart nannte man diese Entkräftungserscheinung auch wohl das „Stätübel" (Schwanzübel). Auch das Maul und besonders die Zähne rieb man den Kühen wohl mit Ruß ein. Waren die Kühe so entkräftet, daß sie trotzdem nicht mehr aufstehen konten, wenn sie gemolken werden sollten, so mußte man sie aufheben. Es war nachbarliche Pflicht, dazu die Knechte zur Hilfe zu schicken.

Sünne Peter war auch ein Tag, an dem Schabernack getrieben wurde. Dazu diente der „Sünnepeterkerl". Der Sünnepeterkerl war ein Strohmann. Man umwickelte eine Gaffel mit Stroh und zog diesem Strohmann ein Hemd und eine alte Hose an. Als Kopf wurde ein „Schabellenkopp" (Maske) aufgesetzt. In der Hand hielt die Puppe einen dicken Knüppel, und in der Tasche stak eine Flasche. Das Wichtigste bei dem Sünnepeterkerl war aber der Sündenbrief. In einer Tasche stak ein Brief, in dem alle Fehler und Übeltaten der Hausbewohner, denen der Strohmann zugedacht war, aufgeführt waren. Besonders die Mädchen wurden in dem Briefe unter die Lupe genommen. Die Puppe wurde dann so an die Haustür der betreffenden Familie gelehnt, daß sie beim Öffnen der Tür den Leuten entgegenfiel. War alles leise hergerichtet, benachrichtigte ein Steinwurf an die Haustür die Bewohner. Für die Übeltäter hieß es nun, schnellstens auszurücken, denn die Hausbewohner machten sofort Jagd auf sie. Wurde ein Täter gefaßt, so wurde ihm der Sünnepeterkerl zum Spott auf den Rücken gebunden. Wenn niemand erwischt wurde, nahmen die Betroffenen die Puppe mit ins Haus und untersuchten die Taschen nach dem Brief. Wieviel Ärger, Verdruß, Streit und Feindschaft durch die Sündenbriefe entstanden, kann man sich denken. Damit hatte die Strohpuppe aber ihr Werk noch nicht getan. Die Betroffenen schrieben einen Sündenbrief einer anderen „befreundeten" Familie und brachten den Strohmann in derselben Weise weiter. So wanderte der Sünnepeterkerl etwa 14 Tage lang von einem Haus zum andern, und eine Puppe konnte wohl ein Dutzend Familien beglücken. An einem bestimmten Tage aber war Schluß, dann durfte die Puppe nicht mehr weitergebracht werden. Während dieser Zeit wagten Kinder und Mädchen nicht, in der Dunkelheit nach draußen zu gehen. „Wahr di! De Sünnepeterkerl löpp hüte", hieß es allgemein.

Für das Wetter im Februar gilt der Satz: Wenn im Februar die Mücken schwärmen, muß man im März die Ohren wärmen.

Fastnacht wurde am Montag vor Aschermittwoch gefeiert. Der Tag hieß „Fastaubend". Er war, wie überall, ein Tag der ausgelassensten Freude. Am Nachmittag hatten die Dienstboten frei. Wenigstens erlaubte der Bauer den Knechten stets, gegen 4 Uhr mit der Arbeit aufzuhören, falls sie an dem Fastnachtstreiben teilnehmen wollten. Die jungen Burschen verkleideten sich, machten ihr Gesicht durch einen „Schabellenkopp" (Maske) unkenntlich und zogen dann in Trupps von 10 bis 15 Personen von Haus zu

Haus. Das Fastnachtstreiben begann nachmittags um 4 Uhr. Vereinzelt zogen schon vorher Kinder aus. Im allgemeinen war das Treiben aber nur für Erwachsene. Mädchen nahmen nie daran teil. Die Verkleideten hießen „Fastaubendgäcks". Bei jedem Trupp spielte einer auf dem „Dudelsack" (Ziehharmonika), während andere mit „Stülpen" (Topfdeckeln) und anderen Gegenständen für den nötigen Radau sorgten. Einige hatten Kiepen oder Körbe mitgenommen, um die Geschenke einzusammeln. Öfters trugen auch 2 Personen eine lange Stange oder eine „Fleskgaffel" (lange Holzgabel zum Aufhängen des Fleisches im Rauchfang) auf der Schulter. Daran baumelten die Würste, die die Gesellschaft unterwegs einheimste.

Betrat solch ein Trupp ein Haus, so wurde kein bestimmtes Lied gesungen, sondern man machte viel Radau und redete Unsinn daher. Hobelspäne, Kieselsteine, Holzklötzchen wollte man als Knöpfe verkaufen. Bei den größeren Bauern wurde auf der Diele mit den Mädchen und Frauen getanzt. Diese suchten dabei möglichst zu erfahren, welche Bekannten sich bei dem Trupp befanden. Der Hausherr schenkte jedem einen Schnaps ein, und seine Frau gab eine Mettwurst für den ganzen Trupp. War es ein größerer Trupp, so fiel meist auch die Wurst etwas größer aus. Bei kleineren Leuten gab es auch statt der Wurst Eier oder ein Stück Speck. Nachdem eine ganze Zeitlang Unsinn getrieben war, zog der Trupp unter humorvollen Dankesbezeugungen zum nächsten Hause. Hatten die Burschen soviel Würste erhalten, wie Teilnehmer im Trupp waren, so zogen sie zu einem Wirtshaus, um die Geschenke zu verschmausen. Das Treiben auf der Straße und das Ziehen von Haus zu Haus waren stets gegen 10 Uhr beendet, im Wirtshaus dauerte die Feier selbstverständlich noch lange an. Man ließ sich Pfannkuchen backen, in diese wurden die Würste in dicken Scheiben hineingebacken. Fastabend gab es überhaupt in jedem Hause zum Abendbrot Pfannkuchen. Der folgende Dienstag hatte keinen besonderen Namen und auch keine besonderen Bräuche.

Aschermittwoch (Askedag) galt als halber Feiertag. Morgens ging man allgemein zur Kirche, um sich das „Askekrüs" zu holen. Die Kinder hatten schulfrei. Als Wetterregel galt: Wie et Askedag döt, döt et de halwe Fasten. Daneben meinte man, wie das Wetter am Vormittag des Aschermittwochs sei, würde es auch die erste Hälfte der Fastenzeit sein, während der Nachmittag das Wetter der letzten Hälfte anzeige.

Die *Fastenzeit* war die „verbotene Zeit", „de stille Tit." oder auch „de geschlotene Tit.". Es fand keine Hochzeit statt, kein Tanz, überhaupt keine Festlichkeit; ja, nicht einmal ein lustiges Lied durfte gesungen werden, gleich hieß es: „Et is inne Fasten." In der ganzen Fastenzeit wurden keine „Karten gekloppt", nicht einmal an Sonntagen. Essen gab es aber nicht weniger als sonst; inwieweit man fasten wollte, war jedem persönlich überlassen. Fleisch kam aber nur zum Mittagessen auf den Tisch.

Für den *März* gab es eine ganze Reihe Wetterregeln, die alle einen trockenen, warmen Monat als gutes Vorzeichen deuteten: Märzenschnee tut den Früchten weh. Märzenschnee frißt, Aprilregen mist't (düngt). März spaken (trokken), April naten, Mai grönen, dann will de Arrenwage (Erntewagen) woll kraken. Märzenstaub is golden Laub. Ein Pfund Märzenstaub ist ein Pfund Goldes wert. De März mot brauken (trocken sein). Märzenschnee, warm untergepflügt, düngt gut.

Aus Märzschnee konnte man dem Volksglauben nach gut Seife machen. Als Rezept wurde angegeben: Schnee und braune Seife durcheinanderkochen. Vielleicht rührt daher auch der Ausdruck „da is en richtigen Sepenkok" (Seifenkoch) für einen Schwindler.

Der März muß nach dem Volksglauben neun gute Tage haben, aber er darf noch kein Grün hervorbringen, denn „Märzengrön kümp nich inne Schüren".

„*Kunigund* (3. März), dann kommt der Saft von unten". Daneben heißt es auch: Kunigund kommt die Wärme von unten.

Gertrudis (17. März) war der erste Gärtnertag.

Mariä Verkündigung (25. März) kümp de Krone (Kranich) trügge, und sitt de Quekstät (Bachstelze) up den Rügge (Rücken). Nach dem Volksglauben wird die Bachstelze bei ihrem Zuge nach dem Süden und bei der Rückkehr vom Kranich getragen. Die Kraniche sollten auch den Sommer anzeigen; je eher die Kraniche im Frühjahr zurückkehren, desto früher kommt der Sommer, hieß es. Mariä Verkündigung muß auch „dat Röwesaut" (Rübsen, zur Gewinnung von Rüböl) blühen.

Der *Palmsonntag* war wieder von besonderer Bedeutung. In der Kirche wurden zum Andenken an den Einzug Jesu in Jerusalem „Palmpausken" (Palmstöcke) geweiht. Mit einer wirklichen Palme hatten die „Palmpausken" aber nur den Namen gemeinsam, sie bestanden aus Holzstöckchen, auf die man oben einen Buchsbaumstrauß band. Verziert wurden sie durch zwei, drei oder vier „Krüllen", Büschel von gekräuselten Spänchen, die man mit dem Schnitzmesser vom Stock abhob, ohne sie ganz abzuschneiden.

In Hagen hatte jeder den Palmstock selbst zu besorgen. In Oesede bekam jeder Erwachsene einen Palmstock und jedes Kind ein Büschel „Kronsbeerenlaub" (Preiselbeeren). Die Stöcke hatte der Küster für die ganze Gemeinde zu liefern. Sie wurden nach der Weihe verteilt. Für die Herstellung sammelte der Küster dann später die sogenannten Ostereier. Eine bestimmte Anzahl hatte er nicht zu fordern. Man rechnete für jeden Kommunikanten im Hause ein Ei.

Viele Leute gaben sich aber mit den einfachen Palmstöcken des Küsters nicht zufrieden, sie machten sich ihre Palmstöcke selbst. Das wurden dann oft wahre Prachtstükke, die mit vielen „Krüllen" verziert und mit Äpfeln und Nüssen geschmückt waren. Es gab sogar „Doppelpalmstöcke" aus verstrebten Zweiggabeln, die zwei Buchsbaumsträuße aufwiesen. Die Besitzer dieser selbstgemachten Palmen stellten sich zur Weihe vor der Kommunionbank auf. Soviel „Krüllen" der Palmstock hatte, soviel „Pauskegger" (Ostereier) bekam man. Selbstgemachte Palmstöcke wurden oft auch verschenkt. Kinder verehrten ihren Onkeln, Tanten oder Taufpaten einen Stock, Heuerleute ihren Bauern. Die Kinder rechneten dabei auf ein kleines Geldgeschenk als Gegengabe.

Die geweihten „Palmen" wurden hinter dem Spiegel aufbewahrt. Die Stöcke wurden bei einem Gewitter verbrannt, zum Schutz gegen Blitzschlag. Weiter gebrauchte man sie auch bei Euterentzündungen der Kühe, indem man die Euter damit beräucherte. Das Sträußchen Buchsbaum oder Preiselbeeren, das den Stock oben zierte, wurde nicht verbrannt. Man benutzte es, um Kranke und Tote mit Weihwasser zu besprengen. Als Wetterregel galt: Kommen die Palmstöcke trocken nach Haus, kommt auch das Korn im Sommer trocken ins Haus. Werden die Palmstöcke aber naß, so wird es in der Ernte viel regnen.

Die *Karwoche* hieß „stille Weke". Jeder Tag der Karwoche hatte einen besonderen Namen: Goen-Maundag, Schällen-Dingsdag (schiefer Dienstag), Krummen-Gonsdag, Grönen-Donnerdag, Stillen-Fridag, Pauskaubend (von Paschafest). Am Gründonnerstag wurde kein Fleisch gegessen, sonst war aber das Essen wie an allen andern Tagen. Morgens ging jeder, der abkommen konnte, zur Kirche. Bis Mittag durfte nach gesetzlicher Vorschrift nicht auf dem Felde gearbeitet werden. An den drei Tagen vor Ostern und am Ostermorgen „sind die Glocken nach Rom". Die Schuljungen kündeten den Gottesdienst durch „Riätern" (Rasseln) an. Gründonnerstag kam in den Pfannkuchen etwas „grön Krut" („Klenlauf", Schnittlauch). Am Samstag mußte „Kaulsaut" (Grünkohl) gesät werden. An den drei letzten Tagen vor Ostern war auch das Wetter bedeutungsvoll. „Wenn Christus im Grabe friert, friert es noch sieben Wochen", oder: „Früs dat Krüs im Grawe, dann früs't noch siewen Wiäken", hieß es. Weiter: Wenn das Kreuz im Grabe „beregnet", gibt es ein „labeloses" Jahr, d. h., der Regen hat keine Wirkung, es gibt nur kleine Schauer. Wenn das Kreuz im Grabe nicht „beregnet", gibt es ein nasses Jahr.

Am Karfreitag ging man wieder allgemein zur Kirche. Die Entkleidung des Altares nannte man die „Zerstörung Jerusalems". Gegen 1 Uhr ging von Kloster-Oesede aus eine Prozession mit einer Fahne zum Kalvarienberg bei Iburg. Ein Geistlicher begleitete sie nicht. Die Prozession artete aber aus und bekam den Namen „Buddelprosjon", da unterwegs viel Schnaps getrunken wurde. Deshalb schaffte die Geistlichkeit sie ab.

Von dem Osterfeuer, das nach kirchlichem Brauch am Karsamstage neben der Kirche abgebrannt wurde, brachte jeder Junge „einen Brand" (angebrannten Stock) mit nach Hause. Meist entstand dabei eine große Keilerei zwischen den Jungen, da jeder einen großen Stock haben wollte. Der „Brand" kam in die „Molkenkammer" (Milchkammer).

Man meinte, dann blieben die Milch und der „Schmand"
(Rahm) gut, und man könne „gut buttern".

Ostern. Am ersten Ostertage gingen alle zur Auferste-
hungsmesse, welche „Christi Upstand" hieß. Zu Hause
blieb nur die 2. Magd, während zu Weihnachten die Großmagd einhüten mußte. Vor und während der ersten Messe
durfte nicht die geringste Arbeit verrichtet werden. Die
Magd hatte nur auf das Feuer zu achten, „Füer wahren".
Oft hörte man Erzählungen, daß Leute, die am Ostermorgen Stroh vom Boden holten, ein Kreuz mit heruntergezo-
gen hätten. Vor der ersten Messe ging die ganze Gemeinde
dreimal um die Kirche, voran der Pastor mit dem Kreuz.
Bei jedem Umgang klopfte der Pfarrer mit dem Kreuz an
die Tür und begehrte Einlaß. Erst nach dem dritten Umgang öffnete sich die Kirchentür, und die Messe begann.
Nach der ersten Messe stand zu Hause Kaffee und Butter-
brot mit Mettwurst bereit. An dem Hochamte nahm wieder
die ganze Gemeinde teil, diesmal blieben zwei Frauen zu
Hause.

Zu Mittag konnte jeder sich soviel Fleisch nehmen, wie
er wollte, zum Zeichen, daß die Fastenzeit vorbei war.
„Christus ist auferstanden, Speck und Mettwürste sind
vorhanden", sagte man oft. Meist wurde in den Bauernhäusern kurz vor Ostern das letzte Schwein geschlachtet.
Nachmittags gab es Ostereier, in einigen Häusern auch
Pfannkuchen. Den Osterhasen kannte man früher nicht,
auch nicht dem Namen nach. Die Ostereier wurden auch
nicht gefärbt und versteckt.

Nach der Andacht am Nachmittag des ersten Ostertages
veranstaltete das junge Volk, Jungen und Mädchen, ein
Ballspiel. Bestimmte Teile einer Bauerschaft spielten zusammen auf einer Wiese. Das Spiel hieß „Laufball" und war
unserem heutigen Schlagballspiel ganz ähnlich. Die Kinder
spielten auf einer anderen Wiese ebenfalls „Laufball".

Sobald die Dunkelheit anbrach, flammten überall die
Osterfeuer auf. Ein gemeinsames Osterfeuer ist in Oesede
und Hagen nicht üblich gewesen. Jeder Hof hatte ein be-
sonderes Feuer. Das Osterfeuer wurde am Nachmittag des
Karfreitages von den Knechten zusammengefahren. Als
Material diente Abfallholz. Die Höfe wetteiferten, um das

größte Feuer zu haben. Man versuchte auch, den Nachbarn das Feuer vorher anzustecken, deshalb stand vielfach tagsüber eine Wache dabei. Wenn am Ostertag die Feuer brannten, wurden Osterlieder gesungen. Die jungen Burschen versuchten auch, über das Feuer zu springen. Das war aber nur selten möglich, meist schlugen die Flammen viel zu hoch. Alle bemühten sich, möglichst viele Osterfeuer zu Gesicht zu bekommen, denn man lebte nach dem Volksglauben noch so viele Jahre, wie die Zahl der Osterfeuer war, die man erblickte. Wer kein Osterfeuer sah, mußte in demselben Jahre noch sterben.

Am ersten Ostertage wurden keine Besuche gemacht. Als Wetterregel galt: Wo Osternmorn de Wind herkümp, von do kümp he no sieben Wiäken. Der Küster bekam zu Ostern die sogenannten „Pauskegger". Er holte diese aber nicht persönlich ab, sondern ließ sie in der Woche nach Ostern einsammeln. Zu Ostern mußte ebenso wie zu Weihnachten, Pfingsten und Mariä Himmelfahrt ein Opfergeld, das sogenannte „vierhochzeitliche Opfer", gespendet werden. Es wurde nicht in der Kirche, sondern nach vorheriger Verkündigung von der Kanzel von Haus zu Haus gesammelt. Man rechnete für jeden Kommunikanten ½ Groschen. Der Ertrag diente zum Ankauf von Hostien.

Der *Sonntag nach Ostern* hieß der „Weiße Sonntag", genau so wie heutzutage. Er war aber nicht der Tag der Erstkommunion. Die Kinder wurden am zweiten Sonntag nach Ostern zur ersten heiligen Kommunion angenommen. Da nun aber früher die Erstkommunion mit der Schulentlassung zusammenfiel, war der zweite Sonntag nach Ostern für viele Kinder oft spät gelegen, denn ein großer Teil der Schulentlassenen ging zum ersten Mai in Stellung. War nun Ostern spät, so konnten sie den Dienst zum ersten Mai nicht antreten. Deshalb wurde vor mehreren Jahrzehnten der Erstkommuniontag auf den ersten Sonntag nach Ostern verlegt.

Am *3. Sonntag nach Ostern* war das Fest des heiligen Josef. Der 19. März als Josefsfest war nicht bekannt.

Der *erste April* war ein Tag des Scherzes. Besondere Freude machte das „in den April jagen". Kindern erteilte man den Auftrag, einen Petersilienpflänzer, einen Steinhobel,

Stecknadelsamen, Haumichblau oder ähnliche Dinge zu holen.

Der April hat als Wetterregeln: April döt, wat he will. Aprilregen kommt dem Bauern gelegen. Is de April auk noch sau got, giff et doch manchmal Schnei uppen Hot.

Am *100. Tag des Jahres* (10. April) mußte „Lin" (Flachs) gesät werden. Die Bauern gebrauchten früher stets den Namen „Lin", nie Flachs. Nach dem Volksglauben mußte man zum Säen des Flachses eine reine „Bükse" anziehen, sonst stand das Feld voller Unkraut. War nachher viel Unkraut zwischen dem Flachse, so sagte man: „De Wichter hätt dat Tüg nich önnik wasket."

Von ganz besonderer Bedeutung war der *erste Mai*, „Mee-dag". Heißt es schon in dem Kinderliede: „Mairegen macht, daß man größer wird", so gilt dies besonders für die Saat. „Wennt Meedag riänget, riänget 't drütte Spier (Halm) Roggen uppt Land." Der Roggen muß anfangen sich zu strecken, während der Weizen noch Zeit hat. So heißt es: „Meedag mot de Rogge so hauge sin, dat sik ne Krägge (Krähe) drin vöstiäken kann", und: „De Weten kann no got wären, wenn Meedag sieben Spier unner ne Wanne (etwa 1 qm) got." Beim Weizen gilt aber noch der „Aula Me." Ältere Leute bezeichnen noch den 10. Mai als den „Mee-dag", an dem eigentlich der erste Mai ist, obgleich der heutige Kalender bei uns schon bald nach 1600 eingeführt wurde.

An anderen Wetterregeln seien genannt: Ein Bienen-schwarm im Mai ist wert ein Fuder Heu. Ein Gewitter im Mai, singt der Bauer „Juchhei". Mee kault und natt, füllt den Bur. Schür und Fatt. Mai kühl und naß dabei, bringt viel Frucht und Heu herbei. Wenn es nach längerer Trok-kenheit um diese Zeit tüchtig regnete, sagte man: Es regnet Dukaten. Im Mai durfte man keinen Weißkohl pflanzen: „Kabus im Mee, giff Köppe os en Ee." Am ersten Mai wurde auch das Vieh wieder zum ersten Male auf die Weide getrie-ben. „Up, aula Koh! Meedag is", sagte man, auch hier galt vielfach der „alte Mai".

Der erste Mai war in unserer Gegend auch der „Ziehtag" für das Gesinde. Die Dienstboten, die gingen oder neu eintraten, hießen „Attmesgänger", man sprach stets von

„affgaun" und „togaun". In Oesede verließen die abgehenden Dienstboten am letzten Apriltag den Hof. Am Morgen mußten sie noch bis zum „Immet" (erstes Frühstück) arbeiten. Der Knecht hatte die Diele sauber zu übergeben. War er mit der Reinigung bis zum „Immet" nicht fertig geworden, mußte er nachher weiterarbeiten. Zu der Pflicht des Schulten (Großknecht) gehörte es, noch mehrere neue Besen aufzustielen. Diese warf er dann mitten auf die Diele. Aufgabe der Mägde war es, nach dem „Immet" noch aufzuwaschen, auszufegen und die Betten zu machen. War das alles erledigt, konnte der abgehende Dienstbote seine Sachen packen. Gleich nach dem „Immet" erhielt er dann seinen Lohn.

Den Dienstboten, die auf dem Hofe blieben, wurde am Vormittag des ersten Mai ihr Geld ausbezahlt. Bis zum 1. Weltkriege bekamen die Dienstboten ihren Lohn halbjährlich am 1. Mai und 1. November. Die neu eintretenden Dienstboten zogen meist am 2. Mai nachmittags ein, manchmal auch schon am 1. Mai, jedoch nie an einem Montag oder Freitag. Man sagte: „Maundag wät nich Wiäken ault", und: „Fridags got de Fillers" (Schinder, besonders gebraucht der Ausdruck „Piärfiller", Tierquäler). Nur ältere Dienstboten kamen allein, jüngere stets in Begleitung eines „Tobringers" meist der Mutter. Gleich nach der Ankunft wurden dem neuen Dienstboten und dem „Tobringer" Kaffee und Pfannkuchen vorgesetzt. Der „Tobringer" empfing auch ein Trinkgeld, in alter Zeit 50 Pfennig. Nach der Mahlzeit begann für den Neuling sogleich die Arbeit, und gegen Abend fuhr er mit einem Knecht, um den Koffer aus dem Elternhause oder dem früheren Diensthause zu holen.

Mit dem 1. Mai begann auch die „None" (Mittagsruhe). Sie dauerte bis 2 Uhr. Dafür war eine Stunde später Feierabend, und zwar um 8 Uhr.

Mamertus, Servatius und Pankratius (11., 12. und 13. Mai) waren die „Eisheiligen". Vorher durfte man keine Krup- und Stangenbohnen pflanzen.

„Petronella (31. Mai), dann wast dat Flas schnell." Dieser Tag galt als der letzte, an dem man Flachs säen konnte.

An den *Bittagen* (3 Tage vor Christi Himmelfahrt) gingen vor der Abtrennung von Kloster-Oesede (1904) die Bittprozessionen nur von der Pfarrkirche in Oesede aus. Am 1. Bittag war ein großer Flurgang mit dem Osterkreuz durch den Oeseder Esch über die Egge (Luttmann) nach Möllenkolk und dann zurück zur Kirche. Der weitere Umgang durch Dröper (Heuer) kam erst nach dem 1. Weltkriege auf. Am 2. und 3. Bittage war nur ein Umgang um die Kirche. War das Wetter vor den Bittagen naß und kalt, so tröstete man sich: Dat Krüs mot est dür'n Euser (Oeseder) Esk kommen. In Hagen haben sich die Wege der Bittprozessionen, soweit feststellbar, nur für kurze Strecken gegenüber den heutigen verändert (Schulten Kreuz in der Großen Heide, Kreuz in Altenhagen, Vollmers Kreuz).

Christi Himmelfahrt war kein besonderer Brauch. Vor dem Hochamte war im Dorf Oesede und in Hagen eine Prozession um die Kirche.

Pfingsten („Pingsen") ist das Frühlingsfest. Die Birken tragen als erste frisches Grün. Deshalb wurden zu Pfingsten auch die Häuser mit Birkengrün geschmückt. Am Vorabend holte der Knecht junge Birken („Mee") und nagelte an die Außenpfosten jeder Tür ein Bäumchen. Besorgte der Knecht kein „me "für die Türen, so machte die Magd auch keinen „Mittsommerkranz". Die Pfingstbirken blieben bis Johannis an den Türen. Bis vor einigen Jahren war Pfingsten in der Pfarrkirche zu Oesede vierzigstündiges Gebet. Das wurde vor 80 – 100 Jahren eingeführt. Als Wetterregel galt für Pfingsten: Pfingstregen kommt dem Bauern gelegen. Es hieß aber auch: Pfingstregen bedeutet nichts Gutes, aber auch nichts Böses.

Fronleichnam. Eine hervorragende Stelle nahmen im kirchlichen Leben der Gemeinde stets die Prozessionen ein. Als wichtigste wurde überall die Fronleichnamsprozession besonders feierlich ausgestaltet. Hier hat sich nun im Kirchspiel Oesede bis zur Abpfarrung von Kloster-Oesede (1904) ein alter Brauch aus der Zeit des Klosters erhalten. Die Fronleichnamsprozession ging nicht von der Pfarrkirche in Oesede aus, sondern von der Kirche in Kloster-Oesede. Im Dorf Oesede selbst war Fronleichnam keine Prozession, auch kein Hochamt, nur eine Frühmesse. Das Hochamt wurde in der Kirche zu Kloster-Oesede gefeiert.

Nach der Aufhebung des Klosters war von der kirchlichen Behörde die Verfügung erlassen worden, daß an Sonntagen in Kloster-Oesede nur eine Frühmesse gelesen werden durfte. Diese mußte aber so gelegen sein, daß die Gläubigen von Kloster-Oesede das Hochamt in der Pfarrkirche in Oesede besuchen konnten. Die Predigt am Fronleichnamsfeste mußte in Kloster-Oesede der Kaplan von Oesede halten. An der nachfolgenden Prozession nahm die ganze Pfarrgemeinde teil, auch die Einwohner des Dorfes. Die Prozession verließ die Kirche durch das Nordportal, führte rund um die Kirche, durch den Kohlgarten, die Königstraße (der jetzige Fußweg vom Pforthaus südlich über den Bahndamm an der jetzt zerstörten Ölmühle vorbei) hinauf zum Pforthause, nach Himmermann und durch das Nordfeld hinunter wieder zurück zur Kirche. Vor etwa 70 bis 80 Jahren ging die Prozession noch hinter dem Chor der Kirche nach Süden, am Alleenteich entlang (also südlich an dem noch stehenden Klosterflügel vorbei, wo sich jetzt der Bahndamm hinzieht), und von der Königstraße an verfolgte sie den eben beschriebenen Weg. Die vier Stationen befanden sich bei der Sakristei hinter der Kirche, beim Pforthause, bei der sogenannten „Thörnes Kapelle" an der Straße zum Steiniger-Turm und an der Klostermauer bei Boßmeyer. Den Schmuck der Stationen besorgten die jeweiligen Kirchenvorsteher. Bei der zweiten Station, dem Pforthause gegenüber, stand früher ein Denkmal des heiligen Johannes Nepomuk. Es war von einem Sohne des Doktor Vering gestiftet. Dieser hatte bei der Ausreise nach Amerika Schiffbruch erlitten und gelobt, dem heiligen Johannes Nepomuk ein Denkmal zu stiften, wenn er gerettet würde. Nach seiner Rettung ließ er dann diesen Denkstein errichten. In Kloster-Oesede wurden die Fahnen und der „Himmel" (Baldachin) früher von den Knechten bestimmter Höfe getragen. Diese Sitte hat sich teilweise bis jetzt erhalten. Die Träger bekamen dafür eine Mark. Diese Höfe hatten früher dafür auch je einen freien Kirchensitz. Während der Prozession wurde mit Handpistolen geschossen. Böller waren nicht bekannt. Fronleichnam war früher in

Kloster-Oesede eine „lütke Kiämis" (Kirmes). Es waren dazu aber nur ein paar „Biskenbuden" aufgebaut.

In Hagen nahm die Fronleichnamsprozession schon immer denselben Weg wie jetzt noch. Es waren bis vor einigen Jahrzehnten aber noch zwei weitere feste Stationshäuschen an den beiden Enden der Sandstraße vorhanden. Man meinte in Hagen, die Fronleichnamsprozession schütze vor Blitzschlag.

Für die ausfallende Fronleichnamsprozession hielt man im Dorf Oesede am Montag vor Fronleichnam einen Umgang mit dem Allerheiligsten, die sogenannte „Goenmaundagsprosjon". Der Weg und die Stationen waren genau wie jetzt am Fronleichnamsfeste, nur von Düttmann ab verfolgte die Prozession den Weg nach Potthofs Hofe und dann quer über die Wiese vom ehemaligen Wortmannschen Hofe (jetzt Gemeindehaus) zur Iburger Straße. Ursprünglich wird sie sicher den Weg benutzt haben, der in alter Zeit zwischen Heuer und Wortmann durch nach Düttmann führte.

Diese „Goenmaundags-Prozession" wird bereits 1624 erwähnt. Damals zog man durch das ganze Kirchspiel. Im „Holthoff" (Kloster-Oesede) hielt der Pastor eine Predigt. Da der Prozessionsweg sehr weit war, führte man ein Pferd mit. Wenn der Pastor dann müde war, konnte er reiten.

Am Sonntag nach Fronleichnam war nach uraltem Brauch wieder eine Prozession in Kloster-Oesede. Wege und Stationen waren die gleichen wie am Fronleichnamsfeste. An diesem Sonntage predigte der Pastor von Oesede in Kloster-Oesede, ein Brauch, der kurz vor dem Dreißigjährigen Kriege aufgekommen war. Diese Prozession am Sonntag nach Fronleichnam ist die in alter Zeit weit und breit bekannte Oeseder Bittprozession mit dem Gnadenbilde von Oesede. Sie ist in meiner „Geschichte des Klosters Oesede" ausführlich behandelt. Nach der Prozession war dann die Kloster-Kirmes. „Klauster Klipp" nannte man sie. Zu dieser Kirmes erhielten die Dienstboten von Kloster-Oesede von ihrer Herrschaft ein Kirmesgeld, meist 50 Pfg. Als Tanzsaal diente noch vor 70 Jahren der große Kornboden des Klosters („Klausterbalken").

An den drei Sonntagen nach der Oktav von Fronleichnam waren im Dorfe Oesede ebenfalls Prozessionen um die Kirche, um Gottes Segen auf die Feldfrüchte herabzuflehen. In Kloster-Oesede wurden diese Bittgänge vor der Frühmesse gehalten. Die Früchteprozessionen folgten in Hagen früher dem Wege der Fronleichnamsprozessionen. Vor etwa 60 Jahren wurde dieser weite Weg abgeschafft.

Johannes der Täufer (24. Juni) wurde auch „Mittsommer" genannt. An diesem Tage hatte die Großmagd den Mittsommerkranz zu binden. Für den Kranz wurde kein Grün verwendet. Er bestand aus einem hölzernen Reifen, der mit Watte, Buntpapier und „Kliätergold" (Flittergold) geschmückt war. Mitten in dem Kranz hing an vier Bändern ein Papiervogel. Das Binden des Mittsommerkranzes war ein Fest für die Dienstboten. Bei dieser Gelegenheit wurde auch fleißig getrunken. Um den Besitz des Kranzes gab es beim Einfahren des ersten Fuders Korn ein Wettlaufen zwischen dem Knecht (Schwöpe) und der Großmagd.

Am Johannistage wurde auch für jede Person im Hause ein „Spier Donnerlauf" (Stengel Walterkraut, Donnerlauch) in die Ritzen der Decke geklemmt. Für jeden steckte man ein Zweiglein über seinen Platz am Eßtisch. Wessen Kraut nicht weiter wuchs, sondern welkte, der mußte in demselben Jahre noch sterben, so verhieß der Volksglaube. Johanni wurden die Pfingstbirken am Hause entfernt. Heilkräuter sammelte man an diesem Tage bei uns nicht. Auch kannte man kein Johannisfeuer. War ein ungewöhnlich trockenes Jahr, so tröstete man sich: „Johannes tauft mit Wasser", d. h. es gibt bald Regen. Im allgemeinen wünschte man jetzt aber trockenes Wetter. Vör Johannis birr (bete) üm Riägen, nauher kümp he ungeliägen. Vor Mirresommer riänget in'n Sack, nau Mirresommer vödärf (verdirbt) licht watt. Gewitter im Juni sind aber erwünscht: Junidonner bringt viel Getreide.

Mittsommer war auch ein Gemeindefest, und zu einem Feste gehörte stets der nötige Trunk. Zu dem Zwecke spendete die Gemeinde Oesede eine Tonne Braunbier. In Kloster-Oesede mußten die Bauern, die sich im letzten Jahre verheiratet hatten, eine bestimmte Menge Bier austun, und zwar ein Vollerbe eine ganze, ein Halberbe ½ und ein Kötter

¼ Tonne (1 Tonne: etwa 150 Liter). Die ganze Gemeinde versammelte sich auf der Diele von Bauer Brunemann. Anteil an diesen Bierspenden hatten die stimmberechtigten Gemeindemitglieder, das waren alle Grundbesitzer. Wenn aber die Bauern ihre „Gemeindesitzung" in etwa erledigt hatten, kam auch das junge Volk und sah nach, ob noch etwas übriggeblieben war. Später wurde dann auch getanzt.

Die drei Gemeinden des Kirchspiels Oesede hatten bereits vor über 200 Jahren dafür gesorgt, daß zu Mittsommer auch das nötige Bier vorhanden war. Deshalb hatte eine ganze Reihe Bauern Grundstücke aus der gemeinsamen Mark erhalten mit der Verpflichtung, ein sogenanntes Mittsommergeld zu geben. Das Geld wurde nach Angabe der Vögte meist vertrunken. Der Betrag, den die einzelnen Höfe geben mußten, war ganz verschieden, zwischen 3 Pfg. und 7 Schilling. Dorf Oesede nahm 1¼ Taler, Kloster-Oesede 1¾ Taler und Dröper 2 Taler 4 Schilling 9 Pfg. ein. In Dröper gaben 7 Bauern außerdem noch je ein Maß Bier.

In Kloster-Oesede war am Feste des heiligen Johannes eine Prozession um die Kirche, da Johannes der Täufer dort Kirchenpatron ist.

Peter und Paul (29. Juni) galt als Unglückstag. Gefürchtet waren an diesem Tage die Gewitter. Vor etwa 90 Jahren brach auf Peter und Paul ein besonders schweres Gewitter aus, von dem noch nach Jahrzehnten gesprochen wurde. Vielleicht rührt daher diese Furcht vor einem Gewitter auf Peter und Paul.

Peter und Paul sind die Kirchenpatrone im Dorf Oesede. Deshalb war bis vor 35 Jahren an diesem Tage im Dorf eine große Prozession, die dem jetzigen Prozessionswege von Fronleichnam folgte. Dieser Umweg wurde fallen gelassen, als nach der Abpfarrung von Kloster-Oesede (1904) die Fronleichnamsprozession auch im Dorf eingeführt wurde. Für diese Prozession am Feste Peter und Paul stiftete um 1784 Kaspar Meyer eine jährliche Abgabe von 7 Schilling, damit auf dem Meyerhofe nach gesungener Kollekte der Segen mit dem Allerheiligsten gegeben werde.

Am Feste *Mariä Heimsuchung* (2. Juli) war in Kloster-Oesede eine kleine Prozession. Man machte nur einmal, bei Hollenberg, Station.

Am Samstag und Sonntag danach ist seit 90 Jahren die *Prozession nach Telgte.* Wie man sagt, muß ein Mädchen siebenmal nach Telgte gewesen sein, sonst bekommt es keinen Mann. Beim 7. Male nickt die Mutter Gottes, zum Zeichen, daß das Mädchen heiraten darf. So hören Bräute, die die Prozession mitgemacht haben, immer wieder die Frage, ob die Mutter Gottes auch genickt habe.

„Sieben Brüder" (10. Juli) heißt es: Regnet es „Sieben Brüder", so regnet es noch sieben Wochen, ist aber gutes Wetter, dann bleibt es sieben Wochen gut.

Jakobus (25. Juli) war der erste Erntetag. An diesem Tage fand in Kloster-Oesede wieder eine kleine Prozession mit dem Allerheiligsten statt. Am Nachmittage begann die Ernte. Deshalb wurde Jakobus auch der „Brautvar" (Brotvater) genannt. Vom 1. Mai bis Jakobi war es verboten, Feldwege zu benutzen. Als solche bezeichnete man Wege, die über fremde Grundstücke führten. Jakobi war oft auch der Tag der jährlichen Miet- oder Zinszahlung. Gewöhnlich kam dafür aber Michaelis in Frage.

Am Tage der *heiligen Anna* (26. Juli) muß in alter Zeit eine Prozession von Oesede ausgegangen sein, da sich im Oeseder Pfarrarchiv eine darauf bezügliche Nachricht befindet. Im Jahre 1754 gab nämlich Heinrich Bergmann 13 Taler an die Kirche zu Oesede. Die Zinsen der 13 Taler sollten dem Pfarrer und dem Küster gegeben werden, damit bei der Annaprozession in seiner Kapelle der Segen mit dem Allerheiligsten gegeben und das Evangelium des heiligen Johannes gesungen wurde. Im Volke ist über diese Prozession nichts mehr bekannt.

Einige alte Leute wollen gehört haben, daß in alter Zeit außer den benannten Prozessionen noch eine von Oesede ausging, die Stationen bei Krevetsiek, Hüsing, Musenberg und Bergmann hielt.

Für Juli galt die Wetterregel: Im Juli mot broon (braten), watt im Härfst soll geroen (geraten).

Am 10. August *(Laurentius)* sollen die Herbstrüben gesät werden. „Wecke will goe Röben iäten, mott Laurentius nich vögiäten."

Maria Himmelfahrt (15. August) gehört zu den „vier Hochtien" (4 Hochzeiten). Im Dorf Oesede und in Kloster-

Oesede waren Prozessionen um die Kirche. Mariä Himmelfahrt gab es zum Frühstück geräucherte Kuhzunge. Bis zu
diesem Fest müssen die Rüben gesät sein. Werden sie noch
nachher gesät, so wird nichts mehr daraus.

Bartholomäus (24. August). „Ballmeiwes is'n bäusen
Kärl, nimp Noneschlaup un Vesperbraut", d. h. von Bartholomäus ab gab es keine Mittagsruhe mehr und nachmittags auch keinen Kaffee (Vesper). Von jetzt an war wieder
abends 7 Uhr Feierabend. Als Wetterregel galt: Wie Bar-
tholomäustag sich hält, so ist der ganze Herbst bestellt.

„*Aegidius* (1. September) tüt de Hirsk uppe Brunnen
(Brunst), un wi he uptüt, sau tüt he auk wer aff."

Die Zeit zwischen Mariä Himmelfahrt und *Mariä Geburt*
(8. September) war eine besondere Zeit. Die Eier, die von
den Hühnern in dieser Zeit gelegt wurden, hießen „lewen
Fruwwen Egger" (Liebfraueneier). Wie es hieß, konnten sie
lange aufbewahrt werden. Früher legte man sie in Korn in
eine Kiste, heute wickelt man sie in Papier ein. Küken, die
in dieser Zeit ausschlüpften, hießen „lewen Fruwwen Küken". Sie sollten gute Leghennen werden. Nach Mariä Geburt ist die Zeit für Küken aber zu kalt. Küken, die nach
Mariä Geburt ausschlüpfen, „müssen eine Bükse (Hose)
anhaben". Mariä Geburt ist die Zeit der Obsternte, jetzt
sind die Birnen reif. „Mariä Geburt ist die Gramme (Grum-
met) gut." „Mariä Geburt sind Appell und Nöte gut."
„Mariä Geburt ziehen die Schwalben furt."

Der erste Roggen wurde stets *Lambertus* („Lammers",
17. September) gesät.

Michaelis (29. September) war der Tag, an dem die Miete
bezahlt werden mußte. Die Ernte war unter Dach. Wer
etwas übrig hatte, verkaufte es jetzt. Daher war es natürlich,
daß gerade jetzt der Bauer darauf sah, daß er zu seinem
Mietgeld kam. Das Wetter zu Michaelis hatte nach dem
Volksglauben eine ganz außerordentliche Bedeutung, denn
„wie sich Michaelis der Wind macht, macht sich der Kornpreis". Die Bedeutung ist folgende: nimmt der Wind im
Laufe des Tages an Stärke zu, so steigt auch der Kornpreis,
wenn der Wind aber an Stärke nachläßt, so fällt der Preis.
Man kann sich denken, daß an diesem Tage mancher Bauer
sorgenvoll das Wetter beobachtete und am liebsten dem

Wind etwas nachgeholfen hätte. Michaelis ist es auch an der Zeit, Roggen zu säen. „Roggen um Michaelis gesät, ist nicht zu früh und nicht zu spät."

Michaelis bestimmte auch die *Kirmestage* von Oesede und Hagen. Die Oeseder Kirmes war stets am Sonntage vor Michaelis, während die Hagener am Sonntag nachher gefeiert wurde. Hagen schaute auf Oeseder Kirmes sorgenvoll nach dem Wetter und wünschte Oesede nichts Gutes, denn das Wetter sollte auf Hagener Kirmes gerade anders sein als auf Oeseder Kirmes.

Als Kirmesgeld erhielten die Dienstboten 50 Pfg. Zur Oeseder Kirmes erhielten auch die von Kloster-Oesede ihr Kirmesgeld, so daß diese zweimal ihr Geschenk bekamen.

Am Montag nach der Kirmes (früher am Dienstag) war in Hagen und Oesede Markttag. Der Markttag in Oesede ist erst 1816 eingeführt, während der vou Hagen schon sehr alt ist. Darum hat sich in Hagen auch Brauchtum damit verbunden, das auch jetzt noch jedes Jahr beachtet wird.

Der Hagener Markt wurde „aufgetrommelt". Hierbei hatten Gretzmann in Sudenfeld, Meyer zu Natrup und Meyer zu Gellenbeck je einen Mann als Trommler zu stellen, während Niehenke in Altenhagen als Fahnenträger antreten mußte. Diese vier Teilnehmer versammelten sich mit dem Samtgemeindevorsteher und dem Rechnungsführer in der Wirtschaft Schwengel (jetzt Büscher), wo die Fahne aufbewahrt wurde. Als Fahne wurde auch nach 1866 immer noch die alte hannoversche Fahne mit dem Sachsenroß benutzt. Wirt Schwengel mußte zunächst jedem Teilnehmer ein Glas Wein oder Branntwein spendieren. Hierauf zog man los. Voran marschierte der Fahnenträger, ihm folgten trommelnd die drei Trommler, dahinter schritten der Vorsteher und der Rechnungsführer. Bei Swibert (Boberg) gab es wieder einen Schnaps. Bei dem Marktplatz (das Land zwischen Maler Greife und Gärtner Kalthöfer und an der gegenüberliegenden Seite der Straße) angelangt, wurde der Platz abgegrenzt, indem die ganze Gesellschaft den Platz umging, auch wenn das Feld noch bestellt war, und der Rechnungsführer an jeder Ecke einen Stock in die Erde steckte. Damit war der Platz freigegeben, und nun erst durften die Marktleute das Feld betreten. Auf dem Rückwege kehrte man noch bei „Kosewert" (Herkenhoff, Ecke Osnabrücker und Georgsmarienhütter Straße) ein. Der Zug endete wieder bei Schwengel, der jedem ein Glas Schnaps und zwölf Zigarren geben mußte.

Mittags gegen 1 Uhr wurde der Markt wieder „abgetrommelt". Der Zug ging wie am Morgen, nur wurden jetzt die Stöcke an den Ecken des Platzes herausgezogen

In Hagen gab es noch einen zweiten Markttag im Mai („Meemarkt"). Dieser Markt fand bei Dammermann an der Straße statt. Auch er wurde auf- und abgetrommelt. Die Trommeln wurden von der Samtgemeinde unterhalten. Sie waren auf den betreffenden Höfen in Verwahr. Diese Höfe hatten auch bei einem Brande zu trommeln.

An den Markttagen hatten die Dienstboten nachmittags frei. Meist arbeiteten sie bis gegen 4 oder 5 Uhr an ihrem Flachs, dann gingen sie zum Tanz.

Nach Oeseder Kirmes bzw. Michaelis begann die Kartoffelernte.

Die durchweg schönen Tage Anfang Oktober nannte man „Kronensommer" (Kranichsommer). Die Züge der Kraniche im Herbst zeigten auch das Wetter des Winters an. Zogen die Kraniche hoch, so sollte der Winter bald und mit großer Strenge kommen, zogen sie niedrig dahin, gab es einen gelinden Winter. Kraniche durfte man nach dem Volksglauben nicht schießen. Wurde ein Kranich abgeschossen, so kreisten die anderen so lange, bis der tote Vogel begraben war. Wurde auf einem Hofe ein Kranich abgeschossen, so ging es dem Hofe schlecht, es gab dort Unglück.

Gallus (16. Oktober) ist der erste Weizensätag. Dennoch war es nicht anzuraten, auf St. Gallus selbst zu säen. Gallus, Hedwig (17. Oktober) und Lukas (18. Oktober) hießen „Mielenweke". An diesen Tagen durfte man kein Korn säen, sonst gab es lauter „Mielen", eine hohe, feinstrohige Grasart. Als Kuhfutter war „Mielenstroh" sehr begehrt, da es von den Kühen gern gefressen wird, aber es unterdrückt das Korn auf dem Feld völlig. Mit dem Gallustag hörte auch der Weidegang des Viehes auf. „Sankt Gall bleibt die Kuh im Stall." Auf St. Gallus fand in Osnabrück ein großer Ochsenmarkt statt, der von den Landleuten sehr besucht wurde. Sie gingen aber nicht hin, um zu kaufen, sondern sie wollten nur die Viehpreise wissen. Zeitung und Marktberichte waren auf dem Lande noch unbekannt.

Im Oktober wurde auch meist das erste Schwein geschlachtet. Ein besonderer Schlachttag stand nicht fest. Es galt als Regel, daß man in allen Monaten, die in ihrem Namen ein R hatten, schlachten dürfe. Ein besonderes Brauchtum war mit dem Schlachtfest nicht verbunden.

Allerheiligen (1. November) war wieder Ziehtag für das Gesinde. „Abgehendes" Gesinde verließ den Hof am Tage vor Allerheiligen. Neue Dienstboten „gingen" nach Allerheiligen „zu". Alle Gebräuche bei dieser Gelegenheit waren genau wie am 1. Mai. Dienstboten, die auf dem Hofe blieben, erhielten den Lohn am Allerheiligentag.

Allerseelen (2. November) wurde nicht besonders beachtet. Die Andacht für die Armen Seelen war schon am Allerheiligentage nach der Andacht zu allen Heiligen. Eine Prozession zum Kirchhof war nicht üblich. Auch wurden die Gräber nicht geschmückt. Darum traten die Dienstboten Allerseelen auch ihren Dienst an, falls es nicht gerade auf einen Montag oder Freitag fiel.

Martin (Sünne Matten, 11. November) war wieder für das Wetter von Bedeutung: Martin hell und rein, wird ein strenger Winter sein, hieß es. Umgekehrt sagte man: Wenn sich Martini im Nebel befindet, ist der Winter ganz gelinde. Mit Martini beginnt der Winter, „van Sünne Matten bis Sünne Peter is dat bäuse Verdeljohr". Martin ist Kirchenpatron in Hagen. Der 11. November war im Kirchspiel Feiertag. Eigentümlicherweise ist für diesen Tag kein Brauchtum entstanden. Heischgänge, die in anderen Gegenden gebräuchlich sind, waren nicht üblich.

B. Bäuerliche Feste

1. Die Hochzeit

Kein Fest wurde von unseren Vorfahren so gefeiert wie die Hochzeit. Bei diesem Anlaß öffnete auch der sparsamste Bauer seinen Geldbeutel und wagte einen tiefen Griff. Die Größe der Feier richtete sich allerdings weniger nach der Größe des Geldbeutels, als vielmehr nach der Größe des Hofes. Es war ganz selbstverständlich, daß die Hochzeit eines Vollerben auch größer sein mußte als die eines Halberben oder gar Markkötters. Und doch war die Feier im wesentlichen stets gleich, nur ging es bei kleineren Bauern und besonders bei Heuerleuten nicht so hoch her, und es nahmen nicht so viele Personen teil. Bei unserer Schilderung ist durchweg die Hochzeit eines großen Bauern zugrundegelegt.

Zum Heiraten gehören zwei. Wie kamen nun die beiden Richtigen zusammen? Die ausschlaggebende Stimme bei der Wahl des Ehegatten hatte nicht der Sohn oder die Tochter, die Eltern bestimmten ihn. Die Wahl war aber schwerer als heute. Die Auswahl war, besonders bei den größeren Bauern, nicht sehr reichhaltig, zumal man höchstens noch mit den nächsten Dörfern verkehrte.

Als oberster Grundsatz bei der Wahl galt der Satz: Gleiches zu Gleichem. Früher heiratete ein Bauer nie außerhalb seines Standes, und dann sah er außerdem immer darauf, daß die Braut möglichst von einem Hofe war, der dem seinen nicht nachstand. Wohl heirateten abgehende Söhne und Töchter auf kleinere Höfe, auch auf Markkotten und wohl gar in Heuerhäuser; der Anerbe eines Vollerbenhofes nahm aber durchweg eine Braut, die auch von einem Vollerben- oder mindestens Halberbenhof stammte. Nur ganz selten kam die Tochter eines Erb- oder Markkötters auf einen Vollerbenhof.

Die einzigen Gelegenheiten, Töchter von entfernteren Höfen kennenzulernen, waren Kirmes und Hochzeiten, und dabei war der Grundsatz zu bedenken: „Kiämisbrut, do wätt nich ut." Andere Festlichkeiten gab es früher nicht auf den Dörfern.

Aber da gab es Abhilfe. Überall gab es Männer und Frauen, die gerne behilflich waren, eine Hochzeit zustande zu bringen. Einige Personen betrieben die Vermittlung sogar als einträglichen Nebenberuf; so besonders Schneider und Händler, die ja in viele Häuser kamen und die Verhältnisse meist gut kannten. Solche Heiratsvermittler nannte man in Oesede „Seelenverkäufer", in Hagen „Friggerautsmann" (der beim Freien Rat gibt), in anderen Dörfern der Umgegend auch wohl „Hilkenmaker" (von hiligen - heiraten). Man nannte das Geschäft „sich einen Hut verdienen". Diese Vermittler bekamen aber keinen Hut, sie nahmen Geld. (In alter Zeit gab es anscheinend für die Vermittlung bestimmter Geschäfte einen Hut. So hieß es in einer Hagener Urkunde von 1638 bei der Verpachtung eines Kirchengrundstückes, daß der Pächter dem Pastor und den Kirchenvorstehern einen halben Taler statt des Hutes gibt.) Die Heiratsvermittler ließen sich, falls die Heirat zustande kam, in etwa nach „Erbesgerechtigkeit" bezahlen, d. h. sie stuften ihre Forderungen nach der Größe des Hofes ab. Sie besorgten vor allem Vermittlungen mit Höfen aus anderen Kirchspielen.

Hatte der Vermittler nun auf beiden Höfen Geneigtheit für seinen Vorschlag gefunden, so besorgte er auch die erste Zusammenkunft. Meist lernten sich die jungen Leute durch seine Mithilfe auf Kirmes oder auf einer Hochzeit kennen. Er vermittelte auch den ersten Besuch. Mit dem jungen Manne und dessen Eltern ging er zum Hofe der in Aussicht genommenen jungen Bäuerin. Dort wurde der ganze Hof besichtigt und im stillen abgeschätzt, ob die Partie wohl passend sei. Viel gesprochen wurde über den eigentlichen Zweck des Besuches nicht. Wenig Worte der Eltern genügten, um anzudeuten, man sei beiderseits nicht abgeneigt, die Kinder heiraten zu lassen. Bei dieser Besichtigung wurde den Besuchern Pfannkuchen vorgesetzt, und da hieß es wohl aufpassen. Fiel von dem Pfannkuchen der Rand ab, so galt das als ein schlechtes Zeichen, denn dann wurde nichts aus dem Hochzeitsplan. Selbstverständlich war die Mutter des Mädchens, die den Pfannkuchen backte, nicht unschuldig an diesem Vorzeichen, falls ihr die Heirat nicht paßte.

Auf dieses Pfannkuchenvorzeichen ist auch die für eine mißglückte Angelegenheit gebräuchliche Redensart zurückzuführen: „De Rand is ümweg fallen."

Eine Verlobung im heutigen Sinne kannte man nicht. Dafür fand in früheren Jahren eine sogenannte „Eheberedung" statt. Dabei wurde schriftlich festgelegt, was die Braut als Mitgift bekam, aber auch – was besonders für ein Mädchen, das als zweite Frau auf den Hof kam, wichtig war – was ihr später als Altenteil (Leibzucht) zustand. Zum Zeichen des Eheversprechens gab der junge Mann der Braut einen Ring, die Braut aber dem Bräutigam, da Bauern früher keine Ringe trugen, das „Trüwwestück" (Treuestück). Dabei sagte sie: „Düt giwe ick di to de Trüwwe, un nie wär ümme." Als Trüwwestück diente meist ein gewöhnliches Geldstück, ein Taler, oft auch ein Zweitalerstück (Kronentaler). Manchmal wurden auch besondere Denkmünzen gegeben. Diese zeigten Darstellungen, die auf die Ehe Bezug nahmen: zwei verschlungene Hände, Adam und Eva im Paradies, Hochzeit zu Kana, zwei Tauben oder ähnliches. Brauttaler nennt man jetzt diese Münzen. Der verstorbene Pfarrer Goersmann von Gellenbeck besaß eine ganze Sammlung solcher Münzen.

Der Bräutigam mußte der Braut auch die drei Frauenmützen (Gold=, Silber und Trauermütze) mit dem dazugehörigen „Halsgeschirr" (Ohrringe und Halskette mit Kreuz und Schloß) schenken.

Wenn es auch hieß: „Alte Liebe rostet nicht, und want auck sieben Johre achtern Tune (Zaune) ligg", so war man doch im allgemeinen nicht für eine lange Brautzeit. Der Hochzeitstag wurde meist sofort festgesetzt, und Zimmermann - die Ausdrücke Tischler und Schreiner kannte man nicht - und Näherin waren wochenlang eifrig beschäftigt, die Aussteuer fertigzustellen. Der Zimmermann fertigte die Möbel auf dem Hofe der Braut an. Jeder Bauer besorgte dafür früh genug das nötige Eichenholz; denn grundsätzlich bekam eine Bauerntochter nur Möbel aus Eichenholz mit. Fichten- oder Kiefernholz war in den Augen der Bauern minderwertig.

Vor der Hochzeit mußte das Brautpaar nach kirchlicher Vorschrift an drei Sonntagen im Hochamt von der Kanzel

aus aufgeboten werden. „Abkündigen" nannte man das
Aufgebot, daneben sagte man auch: „Van'n Prelgestol fallen". Es gehörte sich nicht, daß das Brautpaar an diesen
Sonntagen zum Hochamte ging. In Hagen war es aber doch
üblich, daß die Brautleute am dritten Sonntage hingingen,
damit sie auch hörten, daß sie nicht „auf dem Predigtstuhl
hängen geblieben waren". Einsprüche gegen die beabsich-
tigte Heirat kamen manchmal vor, man nannte das „Inspä-
ringe don". Meist handelte es sich in einem solchen Fall um
ein vom Bräutigam einer anderen Person gegebenes Ehe-
versprechen. Dann hieß es, sich mit dem im Stich gelassenen
Teil zu vergleichen, sonst war die Heirat nicht möglich. Wie
ein solcher Vergleich aussah, möge folgende wahre Bege-
benheit zeigen: Nach einem Aufgebot erhob ein Mädchen
Einspruch, da der aufgebotene Mann auch ihr ein Ehever-
sprechen gegeben hatte. Sie stellte nun folgende Forderung:
Der Mann bezahlt eine bestimmte Summe Geld an die
Kirche, und das Brautpaar verpflichtet sich, nach der Hochzeit täglich ein Vaterunser für die Betrogene zu beten, bis
auch diese sich verheiratet hat. Wohl oder übel mußte das
Brautpaar das Versprechen geben.

Früher waren die kirchlichen Bestimmungen über die
Ehe zwischen Blutsverwandten viel strenger als heute.
Wollten Blutsverwandte heiraten, so mußten sie öffentlich
„Buße tun". In Oesede standen sie an den drei Sonntagen,
an denen ihr Aufgebot verlesen wurde, während des Hochamtes rechts und links vom Altar. In Hagen hatten sie
während der Zeit am rechten und linken Ende der Kommunionbank zu knien.

Zu der Hochzeit wurden die Gäste etwa eine Woche
vorher durch den sogenannten Hochzeitsbitter (Hoch-
tidsbitker) eingeladen. In der Regel war dies in der Bauerschaft oder sogar im Kirchspiel immer dieselbe Person. Der
Hochzeitsbitter war am Hochzeitstage auch der Koch.

Als Zeichen seiner Würde trug er hocherhoben den
Brautstock (Brutstock), einen Handstock mit einer Krücke.
Unter der Krücke flatterten wohl ein Dutzend oder noch
mehr bunte Bänder, wie sie von den Frauen an ihren Mützen
getragen wurden. Alle Bänder waren aber verschieden,
während zur Frauenmütze zwei gleiche Bänder gehörten.

Zwischen den Bittern der verschiedenen Bauerschaften bzw. Kirchspiele herrschte der Ehrgeiz, den schönsten Brautstock zu haben. Die Bänder stellte aber nicht der Bitter, sie wurden von den Brautleuten geliefert und gingen nachher in das Eigentum des Bitters über. Überall wurde der Stock von den Kindern und besonders von den Frauen und Mädchen ausgiebig bestaunt.

In jedem Hause sagte der Bitter ein langes Gedicht auf. Nach einer artigen Begrüßung wurden darin die zu erwartenden Hochzeitsgenüsse aufgezählt, auch darauf hingewiesen, daß man etwas mitbringen sollte. Im großen ganzen war das Gedicht in den Kirchspielen Oesede und Hagen gleich. Leider sind die Verse nicht mehr vollständig zusammenzubringen. Wenn der Inhalt auch noch ziemlich bekannt ist, so besinnen sich die alten Leute doch nicht mehr auf den genauen Text. Der Spruch lautete:

„Ick woll ju ne frödige Botschaft bringen van Brut und Brügem (Bräutigam) N.N. un N.N.; de wören willens, ähren Ehrentag to fieren, un ladet ju doto in, naichste Weken Mirreweken." In der Bauerschaft Kloster-Oesede und im Kirchspiel Hagen begann der Spruch aber mit den Worten: „En schön Kumplement van Brut un Brügem N. N. usw." Es folgt dann ein Hinweis auf die erwarteten Geschenke:

„... Botter orre ne plückete Gaus,
Bißchen größer macht auch nichts aus.
Weggen, wo de Dräger mot unner schreggen."
Es folgte dann die Aufzählung der Hochzeitsgerichte:
„... Stücke van Schinken, do kann man got nau drinken,
Stücke van Hahn, do kann man got nau jahn (gähnen),
Stück van de Weggen, do kann man got nau schreggen,
Drinket nich to vele Win, dann fanget ju de Augen an
to grin."
- - - - - - - - - - - - -
„Olles wat Kock un Keller vermag, dat Saal up'n Diske sin,
Spell und Musik, Lecht und für bes'n ännern Morn dat de Sünne upget."

Er wiederholte dann nochmals den Tag der Hochzeit und fügte die Bitte hinzu, Messer und Gabel mitzubringen: „Dat

Saal sin naichste Weken Mirreweken, un wollen ju do olle to infinen. Ton Schnabulieren woll'n gi doch Mest un Gauwel metbringen."

Der Bitter mußte „gut einen vertragen können", denn überall erhielt er ein Gläschen oder gar zwei eingeschenkt. Eine Zusage war nicht erforderlich, auch nicht zweckmäßig, denn nach den vielen Schnäpsen wären dem Bitter die Zahlen doch wirr durcheinander gegangen. Man rechnete im Hochzeitshause die Zahl der Gäste ungefähr aus. Auf ein Dutzend mehr oder weniger kam es nicht an.

Am Sonntag vor der Hochzeit war auf beiden Höfen großer Betrieb. Es wurden die Kränze für die Pferde des Brautwagens, die Brautkuh und die Haustüren gebunden, eine Arbeit, die von den Mädchen der Nachbarn besorgt wurde (daher auch der Ausdruck „Kranznauber"). Die Kränze wurden versteckt, sie durften aber nicht geraubt werden. An diesem Tage kamen auch die Nachbarn und Verwandten, um sich die Aussteuer anzusehen, „up Besicht". Der Zimmermann und die Näherin zeigten die Sachen. Dafür erhielten sie von dem Bräutigam einen Taler Trinkgeld. Nachher gab es zur Stärkung Kaffee und Butterbrote. Dazu schnitt die Hausfrau die Sommerwurst (beste Mettwurst) an.

Eine richtige Bauernhochzeit dauerte früher drei Tage. Am ersten Tage wurde der „Brautwagen" gefahren, am zweiten war die Hochzeit und am dritten die Nachfeier (Nautehr), die sogenannte Hühnerjagd.

Die Hochzeit fand gewöhnlich am Mittwoch, seltener am Donnerstag statt, da einerseits der Brautwagen nie am Montag gefahren wurde („Maundag wät nich Weken ault"), andererseits der Freitag als Abstinenztag nicht zum dritten Festtag paßte.

Ein ordentlicher „Brautwagen" (Fuhrwerke mit der Aussteuer) wurde mindestens mit drei Wagen gefahren, aber auch vier, ja sechs und noch mehr waren in Hagen keine Seltenheit. Den ersten Wagen stellte der Hof des Bräutigams. Er war früher stets mit vier Pferden bespannt, wie auch der Leichenwagen eines großen Bauern vierspännig gefahren wurde. In Oesede stellten die Nachbarn des Bräutigams die beiden folgenden Wagen, während von dem

Hofe der Braut sich nachher noch ein Wagen anschloß, auf dem die Eltern und Nachbarn der Braut Platz nahmen. In Hagen dagegen stellten auch die Nachbarn der Braut noch Fuhrwerke. Diese waren aber nur mit zwei Pferden bespannt. Der Brautwagen wurde stets vom Pferde aus gefahren, nie mit der Leine. Es kamen nur Leiterwagen in Betracht.

Das Brautwagenfahren war eine große Gelegenheit für Witzbolde. Bei jeder Gelegenheit wurden Späße und Witze gemacht. Je stärker das Gelächter und je größer der Unsinn, desto feiner war die Sache. Noch nach Jahren erzählte man sich die Streiche, die ausgeführt worden waren. Es ist verwundernswert, wie redegewandt und voll von trockenem Witz unsere sonst so schweigsamen und ernsten Bauern sein konnten. Eine wichtige Rolle spielte der erste Nachbar des Bräutigams und vor allem die Schnapsflasche. Der erste Nachbar hatte die Oberleitung an diesem Tage. Natürlich hieß das, daß er auch den „Buddel" verwaltete. Bei jeder passenden Gelegenheit wurde ein Gläschen eingeschenkt.

Man fuhr so zeitig vom Hofe des Bräutigams ab, daß man mittags gegen 1 Uhr bei dem Hofe der Braut ankam. In Hagen fuhren die Nachbarn und Heuerleute des Bräutigams mit ihren Frauen und meist noch mehrere junge Leute mit. Die Eltern blieben zu Hause. Bei dem Hofe der Braut war die Pforte (Hecke) geschlossen und mit einer dicken Kette (Spalkien) zugebunden. Der erste Nachbar kletterte hinüber, ging ins Haus und „tat eine Anfrage". Er fragte etwa: „Dürfen wir wohl auf den Hof kommen, wir suchen eine Braut, ist hier wohl eine zu finden?" oder ähnlich. Der Brautvater antwortete: „Ja, junge Leute haben wir wohl, ihr könnt ja mal sehen, ob eine passend ist." Nachdem der erste Nachbar dem Vater noch ein Glas eingeschenkt hatte, kam dieser und öffnete selbst die Pforte. Dafür erhielt der Vater von dem ersten Nachbarn einen Taler. Der Brautvater brachte aber auch eine Flasche mit und goß jedem ein Glas Schnaps ein. Hatten alle sich durch ein kräftiges Mittagessen, wozu stets Suppe und Braten gehörten, gestärkt, begann das Aufladen. Während des Aufladens spielte meist Hornmusik.

Vorn auf den ersten Wagen kam die Bettstelle, und zwar an jede Seite eine Hälfte, in die Mitte, in ein Laken eingebunden, das Bett. Es wurde von den Nachbarfrauen der Braut und von der Näherin aufgeladen. Jede faßte einen Zipfel, und so wurde das Bett zum Wagen getragen. Die Näherin erhielt dafür vom Bräutigam einen Taler Trinkgeld. Hinten auf dem Wagen stand das wichtigste Möbel, die Brautkiste, der große Holzkoffer mit der Leinwand (Laken). Ein Zipfel der Leinwand sah aus der Truhe heraus, damit jeder sehen konnte, daß sie auch voll war. Dieses wichtige Stück aufzuladen war nicht einfach. Es konnte eine ganze Stunde, ja zwei, drei Stunden damit zugebracht werden. Zuerst konnte man den Koffer nicht heben. Dann war keine passende Tür zu finden. Alle möglichen Türen wurden versucht, aber der Koffer ging nicht hindurch, weil man ihn quer trug; schließlich war er nicht auf den Wagen zu bringen, und so ging die Komödie fort. Nach jedem vergeblichen Versuch mußte natürlich getrunken werden. Auf der Brautkiste saß beim Aufladen ein Musiker und blies. War der Koffer endlich auf dem Wagen, so wurden die anderen Sachen ohne viele Zeremonien aufgeladen. Es kam dann noch auf den ersten Wagen das Spinnrad, und zwar so hoch es eben ging. Der dicke Rocken war bunt bekränzt. Daneben hatte der Haspel seinen Platz. Auf den zweiten Wagen kamen der Kleiderschrank, der stets hochgestellt wurde, und weitere Möbel, und auf die anderen Wagen wurden die sonstigen Sachen verteilt, aber so, daß überall noch Leute mitfahren konnten.

Was zum „vollen oder halben Brautwagen nach Kirchspiels Sitte" gehörte, wie es in den alten Akten heißt, hat sich im Laufe der Zeit etwas geändert. Im letzten Jahrhundert richtete die Aussteuer sich nach dem, was auf dem Hofe nötig war. Stets gehörten aber zum vollen Brautwagen: eine Bettlade mit vollständigem Bett, der Brautkoffer mit der Leinwand, ein Kleiderschrank, eine Anrichte, ein Tisch und ein Dutzend Stühle, Butterkarre, Sauerkrautfaß (Insettfatt), Spinnrad, Haspel, Brake, grobe und feine Hechel, überhaupt alles, was zur Flachsbearbeitung gehörte, nur nicht Raufe, Schwingbock und Webstuhl, die stets auf dem Hofe waren. Immer gehörte auch der eiserne Kesselhaken („Längehaul") dazu, in dem meist reich verziert die Namen der

Brautleute eingehämmert oder ausgeschnitten waren. Weiter befanden sich durchweg Flegel und Gaffel, auch Roggen und Weizen dabei. An die Leiter des ersten Wagens oder an den Schlüssel des Kleiderschrankes wurde ein Schinken gebunden. Dann gehörte zur Aussteuer unbedingt eine Kuh und vielfach auch ein Pferd. In den letzten Jahrzehnten kam noch ein Kutschwagen hinzu. Der Brautkoffer mußte – außer den bald mehr, bald weniger zahlreichen Rollen Leinen – ein Ehrenkleid, Hemden, Handtücher und alle für das Bett und den Tisch nötige Wäsche enthalten. Man rechnete mit 2 Dutzend von allen Sachen, ausgenommen das Ehrenkleid. Je mehr vorhanden war, desto stolzer war die Bauerntochter auf ihre Aussteuer, und sie verfehlte auch nicht, bei Gelegenheit auf die Reichhaltigkeit derselben hinzuweisen. Zum Ehrenkleide gehörte alles, was eine Frau an einem hohen Festtage am Leibe trug. Von den Stühlen ließ man in Oesede aber einen zurück, damit die Tochter „auch sitzen konnte, wenn sie zu Besuch auf den Elternhof kam". Dadurch sollte angedeutet werden, daß die Tochter im Elternhause immer willkommen sei.

In früheren Jahrhunderten spielten Möbel in der Aussteuer nur eine geringe Rolle. Damals erhielten die Kinder bei der Heirat neben Bargeld meist Vieh und Korn. Erst kurz vor 1800 findet man in den Akten auch Schränke verzeichnet. Ein paar Beispiele mögen die Aussteuer in alter Zeit zeigen:

1631 verspricht Stephan Neuhaus (Eversmann) bei der „Eheberedung" mit Stine Wacker (jetzt Höpke) mitzubringen: 70 Reichstaler, 2 Pferde, 1 Füllen, 3 Kühe, 3 Rinder, 1 Schlachtrind, 3 Schweine, 3 Malter (etwa 15 Ztr.) hartes Korn (Roggen) und 18 Scheffel (4 ½ Ztr.) Hafer.

Jürgen Plantholt verspricht 1632 auf den Hof Franksmann 60 Reichstaler, „allen Viehs 3" (d. h. 3 Pferde, 3 Kühe, 3 Rinder, 3 Schweine) und „fünftehalb" (4 ½) Malter Korn mitzubringen.

Der Braut Engel Heemann will der Vater 1669 bei der Heirat mit Claus Borgeld 55 Reichstaler, 1 Pferd, 2 Kühe, 2 Rinder, 1 Schlachtrind, einen halben Brautwagen und das Korn, das darauf gehört, mitgeben.

Der Markkötter Löher in Kloster-Oesede gab 1711 seiner Tochter 100 Reichstaler, 3 „Beeste"(Kühe), 3 Schweine und einen halben Brautwagen zur Aussteuer mit, während eine Tochter von Drop in Dröper 1712 100 Reichstaler, 1 Pferd, 6 Kühe bzw. Rinder, 6 Schweine und einen vollen Brautwagen auf den Hof Musenberg mitbrachte.

Die Tochter des Markkötters Fuest (Kloster) brachte 1743 30 Reichstaler, 1 Kuh, 1 Ferkel, 1 Bett mit Laken, 1 Bettstelle, 1 Kiste, 2 Stühle, 1 Schwingbock, 1 Spinnrad, 1 Haspel, 1 Brake mit.

Gretzmann in Sudenfeld versprach um 1780 seinen fünf Kindern je 80 Reichstaler, 3 Kühe, 3 Schweine, 1 Malter Roggen (etwa 5 Ztr.), 1 Malter Gerste (etwa 4 Ztr.) und 1 Malter Hafer (etwa 3 Ztr.).

Ausführlich ist uns die Aussteuer der sieben abgehenden Kinder des Hofes Suttmeyer (Kloster) von 1789 berichtet. Jedem Kinde wurden versprochen: a) 125 Reichstaler „Brautschatz" (Mitgift), b) ein Brautwagen mit 1 Anrichte, 1 Kleiderschrank, 1 Duttich (Schlafschrank), 1 Tisch, 1 gemachtes Bett, 1 Koffer, 4 Stühle, 1 Kuh und 2 zweijährige Rinder, 1 Malter Roggen, ½ Dtzd. Hemden, 3 Tischtücher, 3 Handtücher und bei der Hochzeit ein Brautkleid und 1 ½ Pistolen (1 Pistole = 5 Taler).

War alles glücklich aufgeladen, so meinten die Leute des Bräutigams: „Wir haben noch nichts für die Schwiegermutter und den Schwiegervater." Man suchte nun, wie auch schon beim Aufladen selbst, noch allerhand mitzunehmen. So verschaffte man sich Würste, die an die Leiter des ersten Wagens gebunden wurden, einen Stuhl oder eine Kaffeemühle für die Schwiegermutter und anderes mehr. Diese Sachen nahm aber der Wagen, der vom Hofe der Braut fuhr, nachher meist wieder mit zurück. Damit auch ein „Wecker" auf dem Hofe sei, sah man fleißig danach aus, einen Hahn zu erwischen. Er bekam einen Schnaps eingegossen, damit er unterwegs auch ordentlich krähte. Der Hahn wurde zwischen den Beinen eines umgestülpten Stuhles festgebunden. Waren nun die Leute des Bräutigams bestrebt, noch allerhand mitzunehmen, so versuchten die Nachbarn der Braut umgekehrt, kleinere Sachen wieder vom Wagen verschwinden zu lassen. Besonders hatten sie es auf den

Schinken abgesehen. Deshalb ließ man zur Vorsicht dauernd eine Wache bei den Wagen.

Nun folgte noch eine wichtige Zeremonie. Schon einige Zeit vor der Hochzeit wurde von dem Großknecht des Hofes der Braut ein riesiger Besen gebunden. Die Knechte der Nachbarhöfe halfen fleißig dabei, und trotzdem nahm die Arbeit mehrere Abende in Anspruch. Als Besenstiel nahm man einen kleineren Baumstamm. Die Wurzeln ließ man daran, um dem Ganzen einen festeren Halt zu geben. Zwischen die Wurzeln wurden Birkenreiser gebunden. Man verwendete aber nicht nur Birkenreiser, sondern nahm auch dickere Zweige, ja sogar Holzscheite („Splittern"). Trotzdem eigentlich kein Eisen in dem Besen sein durfte, gebrauchte man doch dünne Drähte zum Binden. Außen wurde er mit Weiden, nasser Hede und ähnlichen zähen Sachen fest zusammengebunden. Der Besen durfte „nur" so schwer sein, daß ein Mann ihn noch zweimal um den Wagen tragen konnte. Zum Zeichen, daß er das Maß nicht überschritt, trug ihn der Großknecht vom Hofe der Braut zweimal um den ersten Wagen. Aber vorher mußten die Leute des Bräutigams den Besen, der sorgfältig versteckt war, suchen. Verstecken mußte man ihn, da die Leute des Bräutigams schon in den Tagen vor der Hochzeit den Besen zu stehlen suchten.

Diesen Besen hatte nun der Knecht des ersten Wagens zu zerschlagen, vorher durfte eigentlich nicht abgefahren werden. Das Entzweischlagen des Besens sollte andeuten, daß die Frau nicht Herr im Hause werden sollte. Vorsorglich hatte deshalb der Knecht auf der Achse des linken Vorderrades einen scharfen Vorstecker („Lünz") angebracht, um darauf den Besen zertrümmern zu können. Einige Knechte gebrauchten dafür auch einen scharfen Deichselstock. In Hagen durften die anderen Knechte beim Zerschlagen helfen, dafür war aber auch der Gebrauch eines Beiles oder eines Messers verboten. In Oesede hatte allein der Fahrer des ersten Wagens das Zerschlagen zu besorgen. Dafür war ihm der Gebrauch eines Beiles gestattet; aber jeder suchte seine Ehre darin, den Besen ohne Beil zu erledigen. Für alle Fälle hatte der Knecht aber ein Beil mitgebracht, denn auf dem Hofe der Braut waren alle Beile sorgfältig versteckt. Das Beil hatte er unter dem Wagenbrett festgenagelt, denn die Leute der Braut versuchten sowohl das Beil als auch den scharfen „Lünz" in einem unbewachten Augenblick fortzunehmen. Der Lünz wurde deshalb auch angeschlossen.

War der Besen zertrümmert, so wurde der Stiel angespitzt und ein großes Schwarzbrot (manchmal auch wohl ein großes viereckiges Weißbrot) darauf gespießt. Dann wurde der Stiel mit dem Brot an die Wagenleiter genagelt. Wollte aber das Unglück, daß der Knecht den Besen nicht entzwei bekam, so war die Schande groß. Hatten die Leute der Braut schon vorher alle seine vergeblichen Bemühungen mit Hohnreden begleitet, so mußte er jetzt noch dazu den Besen hinten auf dem Wagen mitnehmen und bekam kein Brot. Selbstverständlich mußte er unterwegs noch allerhand Hänseleien anhören, und noch nach langer Zeit wurde er immer wieder daran erinnert.

Für das Binden des Besens bekam der Knecht des Brauthofes von dem Bräutigam einen Taler Trinkgeld. Dafür gab er seinen Helfern eine Flasche Schnaps. Vereinzelt wurden auch ein Dreschflegel und eine Gaffel zerschlagen, um anzudeuten, daß die Frau nicht beim Dreschen helfen sollte.

Nun fehlte aber noch zweierlei: die Geldmitgift und die Braut. Der erste Nachbar des Bräutigams, begleitet von dem Bräutigam und den beiden anderen Nachbarn als Zeugen, ging mit einem großen Geldbeutel zum Brautvater, zeigte den Beutel und meinte: „Nun fehlt hier noch was darin." Der erste Nachbar, nicht der Bräutigam, bekam das Geld ausgezahlt. Nach dem Empfang mußte die Braut durch Unterschrift bescheinigen, daß sie vom Hofe nichts mehr zu fordern habe; den „Verlaut" (Verlassen) unterschreiben, nannte man das.

War nun alles erledigt und umständlich festgestellt, daß alles auf dem Wagen sei, mußte die Braut noch gesucht werden. Während die Sachen verladen wurden, war die Braut nicht zu sehen, sie hielt sich versteckt. An der Suche beteiligten sich alle Personen. Sämtliche Stuben und Kammern wurden durchstöbert, aber man hatte gar nicht vor, die Braut so schnell zu finden. Man ging absichtlich an ihrem Versteck vorbei und wollte sie nicht sehen. Manchmal stellte man auch dem Bräutigam ein anderes Mädchen

als Braut vor, um dann nach Aufklärung des „Irrtums"
nochmals mit der Suche zu beginnen.

Die Frau des ersten Nachbarn des Bräutigams brachte
schließlich die weinende Braut zum Wagen. Sie nahm mit
der Brautführerin und der Näherin auf dem ersten Wagen
auf dem zusammengebundenen Bett Platz, und zwar sahen
die beiden ersteren nach vorn, die Näherin aber rückwärts.
Saß die Braut nicht mitten auf dem Bett, sondern weiter
vorn, so gab es nach dem Volksglauben kein Glück, die Ehe
blieb kinderlos.

Der Bräutigam und sein erster Nachbar setzten sich auf
die Brautkiste oder hinten auf die Bodenbretter des ersten
Wagens. Beide hatten eine Schnapsflasche und ein Glas bei
sich, um unterwegs einschenken zu können. Der Bräutigam
hatte ein Glas mit bunten Bändern. Er schaute unterwegs
nach rückwärts. Bekam die Braut ein Pferd mit, so ritt der
Bräutigam darauf dem Zuge voran. Der Zimmermann
thronte oben auf dem Tische.

In Oesede fuhr noch ein Wagen vom Hofe der Braut mit,
auf dem die mitgekommenen Leute des Bräutigams Platz
nahmen. Da in Hagen sowohl vom Hofe der Braut als auch
von den Nachbarhöfen Wagen gestellt wurden, verteilten
sich dort die Leute auf die verschiedenen Wagen. Hier
nahmen auch die Nachbarn und die Heuerleute des Bräutigams und der Braut an dem Brautwagenfahren teil. Auch
die Eltern und Geschwister der Braut fuhren mit. Die Eltern
des Bräutigams blieben aber stets zu Hause. In früherer Zeit
begleiteten die Nachbarn den Bräutigam zu Pferde.

Die Großmagd und ein Kötter der Braut waren schon
einige Zeit vorher mit der bekränzten Brautkuh abgezogen,
um etwa zur gleichen Zeit mit den Wagen auf dem Hofe
anzukommen. Am Hochzeitstage stand die Brautkuh bunt
geschmückt im Stall.

Die Pferde waren schon bei der Abfahrt vom Hofe mit
den Kränzen, die die Nachbarn am Sonntag vorher gebunden hatten, geschmückt worden. Während des Aufladens
band die Näherin aber den Pferden noch ein Sträußchen an,
ebenso erhielt jeder Fuhrknecht ein Sträußchen an den Hut
gesteckt. Dafür hatte er der Näherin ein Kastenmännchen
(25 Pfennig) Trinkgeld zu geben. Auch band die Näherin

mit einem roten Bändchen an das Geschirr eines jeden Handpferdes ein Hemd als Geschenk für den betreffenden Fuhrknecht.

Alles war zur Abfahrt bereit, aber nun konnten oder wollten die Pferde nicht ziehen. Erst beim dritten Mal gelang es, nachdem jedesmal wieder ein Schnaps getrunken war. Sobald die Pferde anzogen, wurde von allen Seiten geschossen und geschrien.

Unterwegs wurde den Wagen oft der Weg versperrt. Die Kinder zogen ein Seil quer über den Weg. Der Bräutigam warf ihnen einige Pfennige zu, damit sie ihn wieder freigaben. Nicht so leicht waren die Erwachsenen befriedigt. Überall wurde geschossen, auch die Leute auf den Wagen hatten Flinten mitgenommen und sorgten für den nötigen Lärm, dazu erscholl immer wieder lautes Juchzen und Rufen. Manchmal verrammelten die Erwachsenen den Weg vollständig oder setzten sich mit Stühlen auf den Weg. Erst nach mehrmaligem Eingießen ließen sie sich bewegen, den Weg freizugeben. Für durstige Kehlen war das eine Gelegenheit, sich billig einen kleinen Rausch anzutrinken. Nie wurde der Weg von den Brautwagenfahrern gewaltsam gesäumt. Dabei hänselte man sich dauernd mit Scherzreden. „Schatten" (von schätzen, Abgabe fordern) nannte man dieses Aufhalten des Brautzuges.

Kam der Zug endlich beim Hofe des Bräutigams an, so war auch hier die Pforte verschlossen. Der erste Nachbar ging ins Haus, schenkte den Eltern ein Gläschen ein und fragte an, ob sie dort die Sachen wohl loswerden könnten oder ähnlich. Der Vater ging selbst hinaus, schenkte allen ein Glas Schnaps ein und öffnete dann die Pforte. Die Wagen fuhren vor das große Dielentor (Niendür). Überhaupt wurde bei allen festlichen und wichtigen Ereignissen im Bauernhause nur die Dielentür benutzt. Wie die junge Frau durch die Dielentür ihren Einzug hielt, so wurde auch durch die Dielentür das Kind zur Taufe getragen, und ebenso verließ der Tote durch sie das Haus.

Nun kam die Mutter und brachte auf einem Porzellanteller der Braut ein Glas Wein. Hatte der Bräutigam auf dem Brautpferde den Zug begleitet, so ritt er auf die Diele, vor dem Herde her und zurück zum Stall. Der Vater des Bräutigams stellte einen Stuhl an den Wagen und half der Braut beim Absteigen. Dann führte er sie am Arm über die Diele zum Herd. Dort stand die Mutter und übergab der Braut den großen Schöpflöffel (Schleef). Die Braut legte einen oder auch wohl mehrere Taler hinein und gab ihn der Mutter zurück. Dadurch sollte angedeutet werden: Die Mutter will die Herrschaft im Hause an die Braut abgeben, aber die Braut will der Mutter die Herrschaft noch lassen.

War der Vater des Bräutigams nicht mehr am Leben, so holte die Mutter die Braut ins Haus. War aber die Mutter tot, so wurde sie von der Person vertreten, die den Haushalt führte. Waren beide Eltern verstorben, so vertraten durchweg die nächsten Verwandten, nie die Nachbarn, deren Stelle.

Nachdem die Braut eingeholt war, trank man zunächst Kaffee, dann wurden die Möbel abgeladen. Mit dem Bett fing man an. Spinnrad und Koffer wurden zuletzt abgeladen. Das Spinnrad wurde auf die Diele gestellt. Die Großmagd setzte sich daran und spann, dabei schnitt man ihr die Schnur durch, und nun erst brachte sie das Rad fort.

Wieder folgte ein endloses Getue mit dem Koffer. Zuerst wurde umständlich festgestellt, wohin er sollte, dann versuchte man ihn vom Wagen zu heben, vorn, hinten, seitlich, – alles vergebens. Erst nach mehrmaligem Einschenken gelang es. Dann wurden wieder alle möglichen Türen versucht: der Koffer ging nicht hindurch. Man fragte hin und her, ob keine größeren Türen vorhanden wären; dann hatte man wieder vergessen, wohin der Koffer endlich sollte, und so ging es fort, bis man der Ulkerei überdrüssig war und den Koffer abstellte. Nur der Koffer und das Bett kamen an ihren bestimmten Platz, alles andere blieb auf der Diele stehen.

Nachdem alles abgeladen war, gab es wieder ein gutes Essen. In Hagen ging man nach dem Abladen zu dem Hause des ersten Nachbarn, um dort zu tanzen, bis das Essen fertig war. Nach dem Essen wurde der Tanz im Hochzeitshause fortgesetzt.

Die verschiedenen Trinkgelder und Geschenke sind bereits erwähnt worden. Selbstverständlich erhielten auch die Großmagd und der Heuermann, die die Brautkuh gebracht hatten, ein Trinkgeld. Überhaupt war es Ehrensache für den Bräutigam, an diesem Tage reichlich zu spenden.

Ein Polterabend war in älterer Zeit nicht bekannt. Er wurde erst von den fremden Bergleuten in Oesede bzw. den Arbeitern der Kesselschmiede in Beckerode eingeführt. Nachdem er Eingang gefunden hatte, bestand der Hauptspaß darin, zum Schluß das Hochzeitshaus zu verrammeln (toklössen) und Wagen, Pflüge, Eggen und was sonst zu haben war, vor den Türen in wüstem Durcheinander aufzustapeln.

Der strengen Sitte nach, daß Braut und Bräutigam nicht unter einem Dache schlafen durften, schlief die Braut bei dem ersten Nachbarn, falls der Weg zum Elternhause zu weit war.

Am Hochzeitstage begaben sich die Brautleute von den Trauzeugen (Gigengänger) begleitet zur Kirche. In älterer Zeit gingen sie stets zu Fuß. Im Laufe der letzten 50 Jahre wurde es üblich, daß zunächst die weiter entfernt Wohnenden, dann aber auch die näher bei der Kirche Gelegenen zur Kirche fuhren. Auf diesem Wege zur Kirche wurden die Brautleute nicht angehalten. Als Trauzeugen nahm man durchweg die nächsten Verwandten, und zwar nahmen ledige Brautleute stets unverheiratete Zeugen, Witwen bzw. Witwer, die wieder heirateten, verheiratete. Vor etwa 200 Jahren mußte aber, besonders bei Heuerleuten, sehr oft der Küster als Trauzeuge dienen.

In der Kirche saßen Braut und Bräutigam getrennt in der ersten Bank der Frauen- bzw. Männerseite. Die Brautleute gingen zunächst zur Beichte und dann während der Messe zur hl. Kommunion. In Hagen war nach der Messe sofort die Trauung, danach trank man in der Wirtschaft Kaffee. In Oesede wurde aber nach der Messe zunächst Kaffee getrunken, da hier die Trauung früher stets zwischen 10 und 11 Uhr war. Die Verwandten gingen nicht mit zur Kirche, da man im Hause ja alle Hände voll zu tun hatte, um das Fest gehörig vorzubereiten.

Wie schon erwähnt, trug der Bräutigam keinen Ring, sondern er erhielt bei der Verlobung einen Trautaler (Trüwwestück). Der Taler wurde bei der Trauung mit dem Ring der Braut auf einen Teller gelegt und mit geweiht. Wenn dann der Frau der Ring angesteckt wurde, erhielt der Mann den Taler. Das Geldstück wurde als Ehrentaler sorgfältig in der Lade (Bilan, Beilade) des Brautkoffers aufgehoben. Es wurde nur im äußersten Notfall als letztes Geldstück ausgegeben. Vielfach schenkte man es nach dem Tode des Mannes der Kirche. So hingen an der Muttergottesstatue in der Kirche zu Hagen eine ganze Reihe „Trüwwestücke".

Nun gab es bei der Trauung und überhaupt am Hochzeitstage viele Zeichen, auf die man achten mußte, da sie nach der Meinung des Volkes Glück bzw. Unglück brachten oder anzeigten. Die Brautleute sollten deutlich „ja" sagen, aber nicht zu laut. Sagte die Braut zu laut „ja", so übernahm sie im Hause die Herrschaft (tüt de Büxen an). Wer bei der Trauung den Fuß oben hatte, auf den Fuß des andern setzte, bekam die Herrschaft. Blieb das Mützenband (die Braut trug nicht Kranz und Schleier, sondern die Mädchenmütze) am Hochzeitstage fein glatt, so vertrugen sich die Brautleute gut, war es zerknittert, gab es in der Ehe Zank und Streit. Die Braut mußte vor der Hochzeit die Katze gut füttern, dann regnete es am Hochzeitstage nicht. Regen am Hochzeitstage deutete Unglück, Zwietracht und Eifersucht an. Wenn es am Hochzeitstage viel regnete, mußte die Frau in der Ehe viel weinen. Einige Regentropfen durften aber ruhig fallen, da sie wieder Glück bedeuteten. Auch Schnee am Hochzeitstage deutete Glück an. In der Bittwoche (Krüsweke) sollte man nicht heiraten, das brachte kein Glück. Trauung am offenen Grabe, d. h. an Tagen, an denen ein Toter in der Gemeinde über der Erde steht, brachte Unglück, die Eheleute blieben nicht lange zusammen. (Der Ausdruck deutet stets an, es stirbt einer von ihnen). Macht am Hochzeitstage einer der Brautleute „schlapp", muß bald einer von ihnen sterben. Wurde bei dem Hochzeitszug viel geschossen, gab es in der Ehe viel Unfrieden. War das Trüwwestück nicht ordentlich blank, so war die Frau unsauber und unordentlich. Wer von den Brautleuten die längsten Fingernägel hatte, besaß keine Lust zum Arbeiten und Vorwärtsstreben. Heirateten zwei Geschwister an einem Tage oder drei Geschwister in einem Jahre, so brachte das Unglück, die Paare blieben nicht lange zusammen.

Während das Brautpaar in der Kirche war, herrschte im Hochzeitshause bereits großer Betrieb. In Hagen war schon

am Abend vorher „Gauwebringedag" (Gabenbringetag).
Die Großmägde der Nachbarn brachten je ein Huhn. Auch
die jungen Burschen der Nachbarschaft fanden sich ein, um
den Hühnern die Köpfe abzuhacken. Am Hochzeitsmorgen kamen gegen 9 bis 10 Uhr die Mägde der Nachbarn
wieder, um die Tiere zu rupfen (Hönerwichter). In Oesede
wurden die Hühner aber vielfach erst am Hochzeitsmorgen
geschickt. Meist brachten die Mägde auch einen Eimer
Milch mit. Die Hühnermädchen bekamen zunächst Kaffee
und zu Mittag „Stutensoppen": in Würfel geschnittene
Weggen, die mit Suppenbrühe übergossen waren. Für diese
Mädchen, zu denen sich bald anderes Jungvolk gesellte, war
bis Mittag auch nebenbei Musik und Tanz. Gegen Mittag
gingen sie wieder nach Hause. Sie erhielten als Trinkgeld ein
Kastenmännchen.

In der Abwesenheit der Brautleute wurden die Möbel
aufgestellt. Das Bett machten die Nachbarfrauen fertig. Sie
legten Besen, Flegel und andere Sachen mit hinein. An dem
Bettquast baumelte meist eine Schnapsflasche. Auf dem
Heimwege von der Trauung wurde das junge Paar oft
angehalten. Kinder und Arme „schatteten" und erhielten
ein kleines Geldgeschenk. Wer ein Gewehr besaß, knallte
einige Schüsse in die Luft. Ältere Leute kamen und wünschten Glück. Jeder erhielt ein Glas Schnaps eingeschenkt.
Deshalb hatte der Brautführer (Gigengänger) eine Flasche
bei sich, die in ein rotes Taschentuch geknüpft war.

An der „Niendür" wurde das Brautpaar von den Eltern
empfangen. Die Mutter brachte einen Teller mit einem Glas
und eine Flasche Wein mit und schenkte dem Paare zunächst ein Glas ein. Dann führte sie das junge Paar ins Haus
(„int Hus halen"). Arm in Arm ging sie mit der jungen Frau
über die Diele in die beste Stube. Heiratete aber ein Mann
auf den Hof, so wurde er von dem Vater ins Haus geholt.
In Hagen unterwarf die Mutter die junge Frau einer Prü-
fung. Sie hatte in der Stube einen Stuhl mit einem Kissen
zurechtgestellt. Nun führte sie die Braut zu dem Stuhl und
bat sie, darauf Platz zu nehmen. Setzte sich die junge Frau
auf das Kissen, so war das ein schlechtes Zeichen, dann hatte
sie keine Lust zur Arbeit, nur zum Kommandieren. Sie
mußte vielmehr ganz entrüstet das Kissen fortwerfen und
dann erst Platz nehmen. Für die Brautleute, die Zeugen und

die Eltern gab es in der Stube ein Frühstück („Fleischbut-
terbrot") mit Kaffee. In Oesede trank man aber dabei Wein.

Gegen 1 Uhr fanden sich dann die Gäste ein. Zu einer
richtigen Hochzeit erschienen neben der ganzen Verwandtschaft die gesamten Grundbesitzer der Bauerschaft und die
Heuerleute der beiden Höfe. Ja, einige Bauern luden alle
größeren Bauern des ganzen Kirchspiels ein. So waren
Hochzeiten von 200 oder 300 Personen keine Seltenheiten:
es gab sogar einige, zu denen 500 bis 600 Personen erschienen. Die Hochzeit fand stets auf dem Hofe statt, auf dem
das junge Paar seine Wohnung nahm, nie in einer Wirtschaft. Als Festraum diente die geräumige Diele. Im letzten
Jahrhundert, als keine polizeiliche Beschränkung der Zahl
der Gäste mehr vorlag, lieh man sich in Oesede auch manchmal ein großes Zelt.

Alle Gäste, die zum Mittagessen geladen waren, mußten
eine „Gabe" mitbringen. Hierfür kamen aber nur Eßwaren
in Betracht. Der eingeladene Bauer selbst trug in einem
bunten Kissenbezug eine Wegge auf dem Rücken. „Mit dem
krummen Puckel gehen", nannte man das. Weggen waren
eine Art Plattenkuchen von etwa 10 cm Dicke. Auf jeder
Wegge war mit Teig der Name des Gebers eingebacken. Die
Bäuerin brachte in einem Korbe (Zwiekuorf) Eier und eine
Schlage Butter von mindestens drei Pfund mit. Die Butter
war in Formen geknetet, obenauf stand gewöhnlich ein aus
Butter geformtes Schäfchen mit einer roten Schleife. Da die
große Anzahl der Weggen nicht aufgezehrt wurde, trock-
nete man die übriggebliebenen im Backofen. Nach einer
großen Hochzeit hatte man oft noch ein halbes Jahr nachher
diesen feinen Zwieback. In den letzten Jahren vor 1900
wurden die Weggen aber meist vom Bäcker und Butter und
Eier von den Hühnermädchen gebracht.

In Oesede bekam die ganze Hochzeitsgesellschaft zuerst
Eiersuppe: Milch mit Eiern, Korinthen und eingebrockten
Weggen. In Hagen war die Speisefolge genau wie am
Abend. Da im Hochzeitshause die Vorbereitung des Fest-
mahles den ganzen Raum in Anspruch nahm, ging die ganze
Gesellschaft nach dem Mittagessen zum Hause des ersten
Nachbarn. Dort konnte man Kaffee trinken und vor allem
tanzen.

Die ersten drei Tänze waren Ehrentänze, die auch als eine Vorstellung der Braut angesehen wurden. An diesen drei Tänzen durften sich die Gäste nicht beteiligen. Den ersten Tanz tanzte die Braut mit dem Bräutigam bzw. Brautleiter (s. Kronenhochzeit), den zweiten mit dem ersten und den dritten mit dem zweiten Brautführer. Nun erst durften auch die Gäste sich anschließen. Die Sitte verlangte, daß der Brautleiter die Hand der Braut nie direkt anfaßte, sondern nur mit einem Taschentuch.

Als Tänze kamen besonders „Widewe", „Schöttenbreetteen" (Schürzenbreitziehen), „Kegler" und „Möllerschötzken" in Betracht. Bei dem „Möllerschötzken" wurde gesungen:

1. „de Möller krieg dat Lüt (Mädchen) in'n Sack,
   do gönk 't de Diäl up tick, tick, Tack,
   in eins, zwei und drei.

2. De Möller krieg dat Lüt up'n Rump (Mühlenkasten),
   Dau wöt de ganze Möle Stump,
   in eins, zwei und drei."

Das ganze Lied hatte an die zwanzig Strophen. Manchmal wurde der Text auch etwas anders gesungen, z. B.:

„De Möller stak dat. Lüt in'n Sack,
dat. Lüt, dat segg, watt Saal den dat,
in eins, zwei und drei."

Getanzt wurde es wie Schottisch. Bei „eins, zwei un drei" standen die Paare still einander gegenüber und faßten sich gegenseitig mit beiden Händen an. Öfters sang man dazu auch das bekannte Kinderlied:

„1, 2, 3, 4, 5, 6, 7,
wo ist denn mein Schatz geblieben,
ist nicht hier und ist nicht da,
ist wohl in Amerika."

Beim Kegler tanzten 8 bis 12 Paare um eine in der Mitte stehende Person, den sogenannten „Kegler".

War das Abendessen im Hochzeitshause bereitet, so holte der Koch die ganze Gesellschaft zurück. Mit einem Schöpflöffel in der Hand forderte er in einem humorvollen Gedicht, das auf das Essen Bezug nahm, alle Gäste auf mitzukommen. An der Türe des Hochzeitshauses angekommen, nahm er ein Brot (Stuten), schnitt das obere Ende (Kösken) ab und reichte es dem Bräutigam. Der brach ein kleines Stück ab und aß es auf. Den Rest reichte er seiner jungen Frau, die das Stückchen sorgfältig aufbewahrte. Es kam oft vor, daß Frauen bei der silbernen oder gar goldenen Hochzeit das Stückchen noch hatten. Bei der Überreichung der Brotschnitte sprach der Koch ein Gedicht mit der Aufforderung, Freud und Leid zu teilen. Der angeschnittene Laib wurde den Armen gegeben.

Der Koch geleitete das Brautpaar und die Eltern zu ihren Plätzen. Sehr wichtig nahmen die Gäste die Reihenfolge der Plätze. Alle erhielten ihren Platz nach dem Grade der Verwandtschaft. Wie auch bei allen sonstigen Begebenheiten folgten aber die Nachbarn gleich nach den nächsten Verwandten, den Eltern und Geschwistern der Brautleute.

Der Koch trug das Essen auf und bediente auch. Hierbei wurde er von den Töchtern und Mägden der Nachbarn unterstützt. Messer und Gabel brachte jeder Gast selbst mit. Das ganze Geschirr besorgte der Koch, soweit es nicht im Hause selbst vorhanden war, es kamen besonders irdene oder zinnerne Näpfe und Holzlöffel in Betracht. In älterer Zeit wurde das meiste von den Nachbarn zusammengeliehen, da auf den meisten Höfen nicht mehr Geschirr vorhanden war, als man zum täglichen Gebrauch benötigte. Je vier Personen aßen aus einem Napf. Da das Essen auf dem offenen Herde gekocht wurde, verbreitete sich oft ein solcher Qualm, daß den Gästen die Tränen in die Augen traten. Die Speisefolge war durchweg: 1. Hühnersuppe, 2. „Hakkedür" (Potthast oder jetzt Ragout), 3. Braten mit Kartoffeln und Pflaumen, 4. „dicken Reis". Als Getränk gab es früher stets selbstgebrautes Bier. Den ganzen Tag konnte jeder Gast umsonst nach Belieben Bier oder Branntwein trinken.

Eine Besonderheit ist beim Bratengang zu verzeichnen. Man nannte sie „den Braten auf den Tisch spielen". Die Musik marschierte, ein besonderes Stück spielend, um den Tisch. Der Koch ging mit dem großen Schöpflöffel in der Hand voran und sammelte sein Trinkgeld. Jeder gab mindestens ein Kastenmännchen (25 Pfennig).

Nach dem Essen wurde abgeräumt und dann wieder getanzt. Es war mittlerweile 8 bis 9 Uhr geworden. Die drei ersten Tänze waren wieder Ehrentänze genau wie am Nachmittag im Nachbarhause. Gleich nach dem Essen sammelten die Nachbarn die Geldgeschenke der Gäste. Das Geld war in Papier eingewickelt, auf der Rückseite stand der Name des Gebers. Die alte Gewohnheit, die Geschenke öffentlich in eine Liste einzutragen, war behördlich verboten. Die Fuhrknechte, die Näherin, der Schneider und der Zimmermann waren Freigäste, sie gaben kein Geschenk. Als Zeichen wußten sie die Sträußchen tragen, die sie am Tage vorher beim Brautwagenfahren erhalten hatten. Nach dem Essen fand sich auch das junge Volk der ganzen Nachbarschaft zum Tanz ein, „Auwentlöpers" (Abendläufer) nannte man diese Gäste. Sie gaben kein Geschenk.

Um Mitternacht fand noch eine wichtige Zeremonie statt. Die Nachbarfrauen nahmen der Braut die Mädchenmütze ab und setzten ihr die Frauenmütze auf. Das geschah meist in der Kammer, seltener auf der Festdiele. Dabei wurde wieder viel Unsinn getrieben. Man hielt der jungen Frau ein Milchsieb oder eine Pfanne als Spiegel vor, mit einem Lot wurde gemessen, ob die Mütze auch gerade saß und dergleichen mehr. In Hagen bekam die Braut eine Nachtmütze aufgesetzt. Dort fand diese Zeremonie auch stets auf der Diele statt. Dabei tanzte die Gesellschaft um die Braut herum und sang:

„Se sett de Brut de Müssen up, se sett 's er nich wär aff.
En son lustgen Auwend, wo manchen traurigen Dag."

In Oesede sang man auch wohl: „Als Gott den Adam erschaffen, da macht er, daß er schlief. Da nahm er eine Rippe aus seinem Leib und bildete daraus ein Weib, setzte ein die Ehe. Der Ehestand ist ein heiliger Stand, er muß wohl durch des Priesters Hand gebunden sein - - "

Es folgte nun der sogenannte Brauttanz. Die erste Nachbarin trat mit der Braut am Arm vor die Musik, gab den Musikern ein Trinkgeld und bestellte einen Tanz. Sie tanzte mit der Braut einmal um die Diele herum und gab dann die Braut an den ersten Nachbarn ab, der gab wieder ein Trinkgeld, tanzte eine Runde und gab die Braut an die zweite Nachbarin ab, und so ging es eine lange Reihe durch. Wurde die Braut jemandem zugeführt, der nicht tanzte, so ließ der doch die Musik spielen, setzte sich aber mit der Braut mitten in die Runde oder stellte sich, die Braut am Arm, vor der Musik auf. Fand zuletzt einer keinen neuen Tänzer mehr für den Brauttanz, so führte er die Braut dem Bräutigam zu. Der durfte auch nur einen Rundtanz mit ihr machen und mußte schnell mit ihr verschwinden. Dabei suchten die Gäste das Paar zusammenzubinden. Gelang ihnen das, so mußte das Brautpaar sich durch ein Geldgeschenk lösen. Nach kurzer Zeit kam das junge Paar wieder, und die ganze Gesellschaft tanzte weiter bis zum andern Morgen.

Bevor man aber auseinanderging, mußten die Nachbarfrauen noch das „Warmbier" kochen. Das Warmbier, das in früherer Zeit im Bauernhause unseren heutigen Kaffee vertrat, war kein Bier, sondern eine Milchsuppe, die an diesem Festtage mit Eiern, Korinthen, Rosinen und Weggenstükken zubereitet wurde. Der Bräutigam mußte mit einem kleinen „Holzschleef" kosten. Nachdem er probiert hatte, gab er den Löffel an seine Frau weiter. Damit sollte der junge Ehemann zeigen, daß er auch kochen konnte, wenn seine Frau einmal das Bett hüten mußte.

Zum Schluß mußten die Nachbarn noch das Feuer „toraken" (mit Asche zudecken). Auch dabei gab es viel Unfug. Mit dem Rest des Warmbieres wurde das Feuer ausgegossen und dergleichen. Die abziehenden Gäste nahmen auch ihre Körbe wieder mit, die die Braut mit Weggenstücken gefüllt hatte.

In Oesede gab es nun bei den großen Bauern manchmal eine besonders feierliche Hochzeit, die sogenannte Kronenhochzeit, die in Hagen nicht bekannt war. Während bei einer gewöhnlichen Hochzeit in Oesede die Braut die weiße Mädchenmütze trug (Kranz und Schleier kannte man früher auf dem Dorfe nicht), wurde der Braut bei einer Kronenhochzeit eine hohe, mit bunten Perlen und Blättchen geschmückte Brautkrone aufgesetzt. Die Krone mußte jede Braut selbst besorgen, eine gemeinsame für die ganze Gemeinde gab es nicht. Bei einer solchen Hochzeit spielte der sogenannte „Brutleher" (Brautleiter) eine besondere Rolle. Er ist nicht mit den Trauzeugen, den „Gigengängern", zu verwechseln. Das Amt des Brautleiters begann erst im

Hochzeitshause. Durchweg versah dieselbe Person das Amt bei allen Kronenhochzeiten. Der Bräutigam trat bei einer solchen Hochzeit ganz zurück, er war fast eine Nebenperson. Er durfte nicht einmal mit seiner jungen Frau tanzen. Nur bei Tisch saß er neben ihr.

Am Tage nach der Hochzeit war in Oesede die „Hühnerjagd". Gegen 11 Uhr kamen die Nachbarn und einiges Jungvolk. Nachdem man sich zunächst durch ein Frühstück gestärkt hatte, ging man zu den größeren Höfen, um dort Hühner zu erbeuten. Die Hühner wurden geschossen oder mit einem Knüppel geworfen. Von jedem Hofe durfte nur ein Huhn genommen werden. Meist sperrten die Bauern an einem solchen Tage ihre Hühner sorgfältig ein. Die erbeuteten Hühner wurden an eine „Fleskgaffel" gehängt, die zwei Mann auf den Schultern trugen. Nachdem man 6 - 10 Hühner erbeutet hatte, ging es zum Hochzeitshause zurück, um noch etwas nachzufeiern. Die Hühner bekam der Koch zur Zubereitung.

Nach der Hühnerjagd wurden oft auch die beiden Alten zur Leibzucht gebracht. Zum Zeichen, daß der junge Bauer die Wirtschaft übernehmen wollte und die Alten auf die Leibzucht zu ziehen hatten, schlug der junge Bauer ein Beil in den Ständer (Tragbalken der Diele). Im allgemeinen zogen nur Stiefeltern auf die Leibzucht, in der Zeit der Leibeigenschaft aber auch öfters die leiblichen Eltern. Man setzte die Alten auf den hinteren halben Wagen, und die Nachbarn selbst zogen den Wagen unter allerhand besonderen Bräuchen zur Leibzucht. Der junge Bauer hatte persönlich die Pferde vor den Pflug zu spannen. Auf der Leibzucht ging der Vater voran um den ganzen Ackergrund der Leibzucht und der junge Bauer pflügte hinter ihm her eine Furche. So wurde die Grenze festgesetzt. Alle Arbeiten mit Pferden auf der Leibzucht hatte der Hof unentgeltlich zu verrichten. Was die Alten mitbekamen, war meist schon im Heiratsvertrag ausgemacht worden.

Am Sonntage nach der Hochzeit ging das junge Paar im besten Staat zum Hochamt. Die Frau trug die Goldmütze. Am Nachmittag kamen die Nachbarn „Nauberschup haulen" (Nachbarschaft halten). Zuerst wurde Kaffee gereicht und nachher je nach der Jahreszeit Grün- oder Weißkohl,

„fetten Kaul". Man nannte die Feier auch wohl „Nautehr" (Nachzehr). Hierbei war es üblich, daß man „mit leeren Händen" eintraf; d. h., man brachte nichts mit, während es sonst bei Besuchen Brauch war, stets etwas Gebäck mitzubringen. Innerhalb von sechs Wochen mußten die jungen Leute die Nachbarn besuchen. Auch dieser Besuch geschah „mit leeren Händen".

In Kloster-Oesede hatte jeder Bauer, der im letzten Jahre geheiratet hatte, auf Johanni der Bauerschaft einen Trunk zu geben. Die Menge des zu spendenden Bieres richtete sich nach „Erbesgerechtigkeit", ein Vollerbe gab eine ganze Tonne (etwa 150 Liter), ein Halberbe eine halbe und ein Erb- oder Markkötter eine Viertel- oder Achteltonne aus. Die Feier fand auf der „Burstie" (Versammlungsstätte der Bauerschaft) bei Brunemann statt. Damit waren die Hochzeitsfeierlichkeiten endgültig abgeschlossen.

Bei unseren Großeltern waren die Hochzeitsfeiern in keiner Weise eingeschränkt. Gehen wir aber gut 100 Jahre zurück, so finden wir diese Freiheit nicht.

Bis vor 100 Jahren waren fast alle Bauern unserer Heimat leibeigen. Wollte damals ein Bauer eine junge Frau auf seinen Hof führen, so mußte er sich dazu die Erlaubnis seines Gutsherrn holen. Der ließ sich die Genehmigung aber schwer bezahlen. Die Frau mußte je nach der Größe und Güte des Hofes ein sogenanntes Auffahrtsgeld bezahlen. Es betrug bei den größeren Höfen meist gegen 100 Taler, oft aber auch 200 Taler und noch mehr. Dabei muß man bedenken, daß damals das Geld einen viel höheren Wert hatte als heute. Aber auch persönlich freie abgehende Bauernkinder und die Heuerleute konnten nicht nach Belieben heiraten. Zu Anfang des 19. Jahrhunderts mußten sie eine Wohnung mit dem nötigen Land oder eine andere sichere Einnahmequelle nachweisen.

In früherer Zeit war auch die Trauungsgebühr nach der Größe des Hofes verschieden. So hatten die Brautleute um 1670 in Oesede dem Pastor ½ Taler, 1 Brot und 1 Stück frisches Fleisch zu geben, wenn beide von einem Voll- oder Halberbenhofe stammten. Die Braut mußte außerdem noch 3 Schilling (1 Schilling = 12 Pfg., 21 Schilling = 1 Taler) extra geben. Heirateten aber Brautleute von den Halberbenhöfen Dütmann, Vocke und Vogelsang und von dem Erbkotten Kuhlenbeck zusammen, so hatten diese statt der Brotes und Fleisches einen langen Weggen von mindestens 3 Schilling zu entrichten. Für Erb-, Markkötter und Heuerleute betrug die Gebühr ½ Taler, dazu noch 15 Schilling 3 Pfg. an Stelle von Brot und Fleisch und 3 Schilling von der Braut. Für die Abkündigung der Ehe erhielt der Pastor ¼ Taler. Um 1800 wurde die Gebühr einheitlich auf 2 Taler festgesetzt. In Hagen war schon 1651 für eine Trauung ½ Taler zu geben.

Auch die weltlichen Behörden hatten ein wachsames Auge auf Hochzeiten. Sie waren immer darauf bedacht, die Hochzeitsfeiern einzuschränken, damit die Untertanen nicht zuviel Geld ausgaben. Für die Zahl der Gäste, die Anzahl der Gerichte, die Dauer des Festes, für alles hatten sie genaue Höchstgrenzen festgesetzt. Jede Übertretung wurde bestraft. In den alten Geldstrafenregistern des 16. und 17. Jahrhunderts findet man fast in allen Jahren aus jedem Dorfe mehrere Bauern und auch Heuerleute mit Strafen wegen „übermäßiger Hochzeit". Die Höhe der Strafe betrug meist nur ½ bis 2 Taler, es kamen aber auch Strafen von 20 Talern vor, die etwa den Wert eines Pferdes ausmachten. Um 1700 wurden noch Vollerben bestraft, die Hochzeit mit 40 Gästen gefeiert hatten. 1693 wurde auch alles „Schätzen" (Schatten), Aufhalten und Schießen bei dem Hochzeitszuge, ebenso das Ausschenken von Schnaps bei einer Strafe von 10 Goldgulden verboten. Wir haben eine ganze Reihe von Verordnungen, die die Einschränkung der Hochzeiten bewirken sollten. Sehr scharf waren die Verordnungen von 1780 und 1822. 1780 wird angeordnet, daß Bauern und Bürger nur 2 Tage, Heuerleute aber nur einen Tag feiern dürften. Dabei wird die Zahl der Gäste bei Voll- und Halberben auf 80 (bis dahin nur 40), bei Erb- und Markkotten auf 30 und bei Heuerleuten auf 20 Personen beschränkt. Hierbei sind aber der Pastor, der Küster, der Vogt, die Eltern und Kinder, die mit den Brautleuten unter einem Dache wohnen, und Kinder, die noch nicht zur heiligen Kommunion angenommen sind, nicht mitzuzählen. Als Strafe werden 1 Taler für die ersten 5 überzähligen Gäste, 2 Taler für die zweiten 5 überzähligen, 3 Taler für die dritten 5 überzähligen, usw., festgesetzt. Zugleich wird verboten, die Geschenke öffentlich abzuzählen und auszurufen, bei einer Strafe von 10 Talern. Alle Geldgeschenke müssen in Papier eingewickelt in eine verdeckte Schüssel gelegt werden.

Diese Verordnung wurde 1822 erneuert, die Strafe aber bedeutend verschärft. Auch jedes Übermaß von Gerichten und jede Verabreichung von Wein ist bei willkürlicher Strafe untersagt. Damit jeder diese Verordnung auch sicher kannte, mußte sie an drei Sonntagen von allen Kanzeln verlesen werden.

2. Die Kindtaufe (Kindkenhochtid)

Wie die Hochzeit war auch die Kindtaufe ein Freudenfest, an dem nicht nur die Hausgenossen, sondern auch die Verwandten und Nachbarn frohen Anteil nahmen, und das durch sinnvolle Bräuche reich ausgeschmückt war.

Für die werdende Mutter gab es kaum besondere Vorschriften. Sie hatte sich nach dem Volksglauben nur vor bestimmten Sachen in acht zu nehmen. So sollte sie keinen Toten ansehen. Beim Schlachten durfte sie auch nicht zugegen sein. Besonders hatte sie sich aber vor dem kleinsten Diebstahl zu hüten. Nicht einmal einen Apfel unter einem fremden Baum durfte sie aufnehmen, da sonst das Kind ein Dieb würde. Ein Unglück bedeutete es ferner für eine Schwangere, wenn ein Hase vor ihr über den Weg lief, dann bekam das Kind nämlich angeblich eine Hasenscharte.

Von der Wöchnerin sagte man: „Se is inne Weken gaun." Ein Kind, das unter der Predigt geboren wurde, sollte schwatzhaft werden. Von einem unehelichen Kinde hieß es: „Et is achter de Hiege fun'n" (hinter der Hecke gefunden). Die Hebamme wurde in Oesede „Treckmoor", in Hagen einfach „dat Aule Wif" genannt. Sie gab das neugeborene Kind dem Vater, der es der Mutter reichte.

Die Großmagd des Hofes hatte dem ersten Nachbarn die freudige Nachricht zu bringen. Als feststehende Formel dafür galt: „Et is'n froh't Ereignis indropen, bi N. N. is'n lüttken Jungen (lüttket Wicht) ankuomen." Der erste Nachbar gab die Nachricht an den zweiten, der zweite an den dritten, dieser wieder an den vierten weiter. Kam aber das zweite Kind zur Welt, so erhielt zuerst der zweite Nachbar die Botschaft, beim dritten Kinde der dritte Nachbar.

Der bedeutendste Festtag war natürlich der Tauftag. Hier galt es zuerst zu entscheiden, wer Taupate werden sollte. Als Taupaten kamen zunächst die Großeltern, dann die Geschwister der Eltern und die Nachbarn in Betracht. Der Gutsherr trat in Oesede und Hagen nur selten als Pate auf. Bei dem ersten Kinde war der (die) „Alte aus dem Hause" der Pate, „de erste am Steen" (am Taufstein), sagte man. Bei dem zweiten Kinde stand ein Großelternteil von dem „zugeheirateten" Elternteil Pate. Der Pate des dritten Kindes kam wieder aus dem Hause, der des vierten Kindes von dem „zugeheirateten" Hofe. Wenn aber das zweite Kind der erste Junge war, kam auch wohl der Großvater aus dem Hause als Pate in Frage.

In Oesede wurden früher stets drei Paten genommen. Der erste war der eigentliche Pate, der zweite der Nebenpate und der dritte der „Stätvadder" (am Ende, Stät). Pate sein hieß „Vadder staun". Als zweite und dritte Paten wurden meist Nachbarn und entferntere Verwandte genommen. Nach dem Volksglauben artete das Kind viel nach dem „Stätvadder". Die Paten wurden von der Hebamme geladen, die auch das Taufkleid lieh. Bessere Familien hatten auch vielfach ein eigenes.

Zur Kirche ging man zu Fuß. Da die Hebamme allein das Kind bei den weiten Wegen nicht tragen konnte, begleitete sie eine Nachbarfrau und zwar bei dem ersten Kinde die erste Nachbarin, bei dem zweiten die zweite Nachbarin usw. Die Nachbarin, die das Kind zur Kirche tragen mußte, hieß „Küssendriägerin". Der „Stätvadder" trug das Kind aus der Kirche.

Alle drei Paten hatten „zu opfern". Der erste Pate gab meist 50 Pfennig, der zweite und dritte gaben je ein Kastenmännchen (25 Pfennig).

Nach der Taufe stärkte man sich erst in einer Wirtschaft. Im letzten Jahrhundert wurde meist ein „Glansker Torn" (Glaner Turm, langhalsige Flasche Wein) getrunken. Die Zeche bezahlte der erste Pate.

Gegen Mittag gelangte die Gesellschaft dann wieder zu Hause an, und hier begann nun die „Kindkenhochtid". Am Morgen des Tauftages hatten bereits die Kinder oder Mägde der Nachbarn Eßwaren, besonders Milch, gebracht. Überhaupt halfen die Nachbarn bei allen besonderen Gelegenheiten mit Eßwaren aus. Der Täufling wurde zuerst der Mutter gebracht mit den Worten: „Wi sind weggaun mit enen Heden (Heiden) un bringet di'n os (als) Christen wier." Nun erst wurden die Eltern beglückwünscht.

An dem Festessen, das die erste Nachbarfrau kochen mußte, nahmen gegen Ende des vorigen Jahrhunderts nur die Paten, die Hebamme, der Vater und die Großeltern teil. In früherer Zeit fanden sich zu dem Schmaus aber viel mehr Personen ein. Ja, die Feier währte wohl mehrere Tage. Deshalb erließ die Behörde 1780 eine Verordnung, nach der die Tauffeier nicht länger als einen Tag dauern durfte, außer Pastor, Vogt und Küster nicht mehr als 8 Personen teilnehmern konnten und höchstens drei Speisen neben Butter und Käse gereicht werden sollten. Als Strafe wurden 20 Goldgulden für jeden weiteren Tag und jedes weitere Gericht und zwei Goldgulden für jeden überzähligen Gast festgesetzt. Jeder Pate schenkte dem Kinde Geld. Der erste Pate hatte seinem Patenjungen auch den ersten Hosenanzug (in den ersten Lebensjahren trugen auch die Knaben Kleidchen) zu geben und zur ersten heiligen Kommunion ebenfalls einen Anzug. Bei Mädchen hatte die Patin die entsprechenden Kleider zu spenden. Alle drei Paten gaben auch der Mutter ein Geschenk. Der Satz war etwa je ein Taler, später zehn Mark. „Do foor (füttere) di för ute Weken (uten Berre)", hieß es bei der Überreichung. Auch die Hebamme bekam von jedem Paten ein Trinkgeld, in alter Zeit 7 ½ Groschen. Daher hielten gerade die Hebammen an den drei Paten fest, und so kam die Sitte, drei Paten zu haben, in Oesede erst zwischen 1800 und 1850 allmählich ab.

Nach dem Tauftag kamen die Nachbarfrauen und entfernteren Verwandten zum „Spräk an" (ansprechen).

War die Mutter wieder aufgestanden, so war an einem Tage große „Kraumvisite" (Kram mitbringen), daher hieß die Wöchnerin auch „Kraummoor". Alle Nachbarn kamen an einem Nachmittag, meist an einem Sonntage. Dann ging es hoch her. Auch die nächsten Verwandten stellten sich ein. Der besuchende Bauer und seine Frau mußten hierzu mit dem „krummen Arm", mit dem Armkorb, erscheinen. Er enthielt meist: ein Pfund Kaffee, zwei „Prämproggen" (Weißbrote), für 50 Pfennig „Bischüt" (Zwieback), ein Pfund Zucker und später auch einen „Krintenstuten". In letzter Zeit wurde für einen Taler Ware gerechnet.

Nach sechs Wochen ging die Mutter zum Aussegnen (Insiängen) zur Kirche. „Se löt sik uphalen", „wät ute Weken lett.", oder bildlich und derb „löt sik wier Isen unnerschlaun", sagte man. Zur Aussegnung legte die Frau den besten Staat an: Goldmütze und weißes Tuch. Soweit festzustellen ist, wurde in Oesede und Hagen das Kind zu Hause gelassen. Es gehörte sich nicht, daß der Mann an diesem Tage die Frau begleitete. Die junge Mutter meldete sich beim Küster an, setzte sich an einen bestimmten Platz in der Kirche und wartete auf den Priester. Nach der Aussegnung legte sie ein Geldgeschenk, in letzter Zeit 7 ½ Groschen, auf die Kommunionbank. Vor dem ersten Kirchgang durfte die Wöchnerin nicht ausgehen, d. h. keine Besuche abstatten und auch nicht auf dem Felde arbeiten.

Die Betreuung des kleinen Erdenbürgers übernahm meist die Großmutter. Schon bald ließ sie das Enkelkind an gebratenen Äpfeln lutschen, von denen sollte es einen reinen Atem bekommen. Zur Erleichterung des Zahnens ließ man das Kind auf Kalmuswurzeln oder auf Möhren beißen. „Wenn der erste Zahn früh kommt, wird es ein frühreifes Kind", will der Volksmund wissen. Bei uns bekam die Mutter für den ersten Zahn des Kindes kein Geschenk wie an anderen Orten.

Als besondere Regel galt: Kindern unter einem Jahr darf man die Nägel nicht beschneiden, sonst sind sie später nicht ehrlich. Die Nägel müssen abgebissen werden.

Für die Taufe erhielt der Pastor in Oesede in der Zeit um 1670 von den Voll- oder Halberben ein großes Roggenbrot (Schwarzbrot) mit einem Stück Fleisch und einen Schilling, dazu 9 Pfennig für das öffentliche Gebet und von den Paten als Opfergeld mindestens 9 Pfennig. Das Brot wurde aber nicht gebracht, der Pastor mußte es holen lassen. Die Erb-

und Markkötter und die Heuerleute gaben drei Schilling und noch 9 Pfennig für das öffentliche Gebet, dazu kam wieder das Opfergeld der Paten. Für die Aussegnung wurde ein Schilling gegeben.

Um 1850 betrug die Taufjura nur noch 9 Mariengroschen, wovon der Küster 2 Mariengroschen 4 Pfennig erhielt. Das Opfergeld von mindestens 3 Gute Groschen erhielt der Pastor. Die Voll- und Halberben gaben aber 12 Mariengroschen und ein Roggenbrot, hierbei erhielt der Küster aber nicht mehr als bei anderen Taufen. Für uneheliche Kinder betrug die Jura „nach hergebrachter Gewohnheit" 1 Reichstaler für den Pastor und 18 Mariengroschen für den Küster. Als Aussegnungsjura gab man 3 Mariengroschen, davon erhielt der Küster 1 Mariengroschen 2 Pfennig.

In Hagen bekam der Pastor in alter Zeit kein Geld. 1625 und 1651 wird ein Krug (Amphore) Wein als Taufgebühr angegeben.

(1 Mariengroschen = 7 Pfennig, 1 Guter Groschen = 10 ½ Pfennig)

3. Tod und Begräbnis

Unsere Vorfahren feierten nicht nur die Feste nach bestimmtem Brauch, auch für traurige Begebenheiten hatte sich bei ihnen ein streng zu beachtendes Brauchtum herausgebildet. Besonders dann, wenn der Tod in ein Haus eingetreten war, forderte die Sitte ein bestimmtes Handeln und Reden.

Bei der Knappheit an barem Geld, die fast in allen Häusern herrschte, der Sparsamkeit und dem Mißtrauen, das man durchweg Fremden entgegenbrachte, war es natürlich, daß bei Krankheiten selten ein Arzt zu Rate gezogen wurde. Dafür vertraute man eher heilkundigen Männern und Frauen des Volkes, vielfach Personen, die durch den Umgang mit Vieh gelernt hatten, einfache Leiden der Tiere zu heilen. So übten bei uns Schmiede und besonders Schäfer ihre Kunst nicht nur am Vieh, sondern auch an Menschen aus.

Immer schon trieb die Menschen das Verlangen, in die Zukunft schauen zu können, ganz besonders Todesfälle vorherzuwissen. So gab es auch bei uns Personen, die Vorgesichte hatten. Sie fanden bei ihren Mitmenschen unbegrenzten Glauben. Aber es gab auch viele Vorzeichen, die auf ein Unglück oder gar einen Todesfall hinwiesen. Häufig waren es Tiere, die einen Todesfall ankünden sollten. Eine Reihe solcher abergläubischer Todesvorzeichen möge hier folgen:

Der Holzwurm zeigt durch sein Klopfen einen Todesfall im Hause an. Er wird „Wanduhr" und „Doenuhr" (Totenuhr) genannt. Sieht man in einem Jahre keine „Kronen" (Kraniche), so muß man in dem Jahre noch sterben. Wo Kraniche „kränsen" (Kreise ziehen), muß einer sterben. Wenn Kinder Kreuze machen, muß eins sterben. Bekränzen Kinder sich gegenseitig, „muß eins dazwischen weg". Setzen sich nachts die Federn des Kopfkissens zu einem Kranz zusammen, so muß der Schläfer bald ins Grab. Solche Federnkränze nannte man Hexenkränze. Steht an einem Sonntage eine Leiche über der Erde, so müssen noch zwei Menschen aus der Nachbarschaft folgen. Weiße Fleckchen unter den Fingernägeln heißen Trauerblumen. Sie wachsen weiter (kommen weiter nach vorn), und wenn sie vorn sind, muß einer aus der Verwandtschaft die Erde verlassen. Sieht man kein Osterfeuer, muß man in demselben Jahre noch sterben. Soviel Osterfeuer man sieht, soviel Jahre lebt man noch. Heiraten drei Geschwister in einem Jahre oder zwei Geschwister an einem Tage, so bringt das Unglück. Die Paare bleiben nicht zusammen. (Der Ausdruck bedeutete bei uns nie Scheidung, sondern Trennung durch den Tod.) Heult der Hund, so stirbt bald jemand. Legt man sich hinter den Hund und schaut ihm zwischen den Ohren durch, so sieht man, aus welchem Hause einer „weg muß". Auch der Eulenruf (Käuzchen) kündet einen Todesfall an. Das Käuzchen ruft: „Kumm mit" oder „Klä di witt, du moß baule mit." (Kleide dich weiß – Totenkleid.) Es wird auch „Likhohn" (Leichenhuhn) genannt. Klappen die Pferde mit den Ohren an die Raufe oder schütteln sie sich im Geschirr, müssen sie bald vor den Leichenwagen. Schütteln sich die Pferde, wenn sie von dem Leichenwagen abgespannt sind und ihnen das Geschirr abgenommen ist, so gibt es zwei Möglichkeiten: Halten die Pferde dabei den Kopf zur Erde, so müssen sie bald wieder vor den Leichenwagen, heben sie aber die Köpfe hoch, dann kommen sie vor den Brautwa-

gen. „Kraken" (knarren) nachts die Türen, muß einer ins
Grab, ebenso, wenn die Stühle „kraken". Sie ahnen nämlich,
daß der Leichenbitter kommt. Springt die Tür von selbst
auf, so meinte man in Hagen, dann stirbt ein Freund, während man in Oesede der Ansicht war, es käme der Leichenbitter. Schlägt bei der Messe die Glocke „voll in den Kelch",
d. h., schlägt die Kirchenuhr den vollen Stundenschlag,
während der Priester bei der Wandlung den Kelch hebt, so
stirbt in der Woche jemand in der Gemeinde. Bleibt das
Schwalbenpaar, das in jedem Bauernhause an den Dielen-
balken sein Nest hat, in einem Jahre aus, so muß in dem
Jahre jemand in dem Hause sterben. Man sagte dann: „Es
ist ein 'Fege' (vom Schicksal zum Tode Bestimmter) im
Hause." Deshalb hütete man das Schwalbennest sorgfältig,
daß es auch im Winter nicht beschädigt wurde. Ja, beim
Neubau eines Bauernhauses sorgte man sogar dafür, daß das
Schwalbenpaar in einer Scheune gute Nistgelegenheit hatte,
damit es ja nicht den Hof verließ. Hört man in der Nacht
ein Klopfen, so sind sie „bei dem Sarg am Arbeiten". Wenn
ein Obstbaum im Herbste blüht, muß in dem Hause einer
sterben. Von hellem Feuer träumen, deutet einen Sterbefall
an.

„Beim Absterben" wurden alle Hausbewohner herbeige-
rufen zum gemeinsamen Gebet. Wenigstens mußten alle
geweckt werden, „sonst werden sie Langschläfer und können nicht aus dem Bett finden". Konnte der Kranke nicht
zum Sterben kommen, nahm man ein Hemd oder eine Hose
und trennte das Kleidungsstück los. Dadurch sollte das
Sterben leichter und schneller gehen. Wer an einem Sonntage nähte, konnte nach dem Volksglauben nicht „zum
Absterben kommen". Als bester Sterbetag galt der Freitag.
Wer an einem Freitag stirbt, „kommt gut hin" (wird selig).
Hatte der Tote den Mund offen stehen, so war es ein
Zeichen, daß er „gut hingekommen" war. Wenn aber die
Katzen miauten, bald nachdem jemand gestorben war, so
hatte er Not, „gut hinzukommen".

Sofort nach dem Tode wurde ein Fenster geöffnet, die
Vorhänge des Sterbezimmers zugezogen und ein Licht (Öllampe) angezündet. Das Licht brannte Tag und Nacht, bis
die Leiche am Begräbnistage auf dem Wagen war, dann
mußte es ausgelöscht werden. Wurde das versäumt, mußte

dem allgemeinen Glauben nach aus dem Hause bald einer im Tode nachfolgen. Das Auslöschen hatte die Frau des ersten Nachbarn zu besorgen.

Gleich nach dem Tode des Hausherrn wurden die Bienen geweckt, das Vieh jedoch nicht. Es ist aber anzunehmen, daß in alter Zeit alles Vieh geweckt wurde, sonst hätte sich kaum die Sitte bei den Bienen erhalten. Bei den Bienen mußte man dreimal anklopfen. In Oesede sagte man dann: „Höt gi 't woll, bliwet flidig (fleißig), jur Härr N. N. is daude." In Hagen mußte der Tod den Bienen von dem neuen Hausherrn angesagt werden mit den Worten: „Der Härr is daude, ick bin jur Ernährer." Wird der Tod des Hausherrn den Bienen nicht angesagt, so sterben sie aus. Hat Zwietracht im Hause geherrscht, so sterben auch alle Stubenvögel, und die Schwalben ziehen fort.

War der Vater oder die Mutter gestorben, so wurde gefragt: „Ist auch Brot im Schranke?" Wenn das der Fall war, hatten die Nachkommen keine Not zu leiden. Auch meinte man, die Uhr bliebe stehen, wenn der Hausherr stürbe.

Der Großknecht brachte die Todesnachricht sofort allen Nachbarn. Als feststehend galt beim Tode des Hausherrn die Formel: „Ick woll ju mitdelen: Use Vader häfft öwerwunnen."

Die Nachbarn eilten sofort zum Trauerhause, wo die Nachbarfrauen den Toten wuschen und mit dem Totenhemd bekleideten. (Utklün, daher Klänauber, Kleidernachbar.) Das Stroh des Sterbebettes wurde stets erneuert. Die Auskleider und der Leichenbitter bekamen abends im Trauerhause Pfannkuchen. Vielfach wurde das Brauthemd aufbewahrt und diente dann später als Totenhemd. War ein neues Totenhemd nötig, so mußten die Nachbarn es machen. In einem Totenhemd durften die Fäden keine Knoten haben. Frauen bekamen die schwarze Mütze mit schwarzseidenem Band aufgesetzt. Um die Schulter wurde ein schwarzes Wolltuch, das ja auch zur Tracht gehörte, gelegt. Jungfrauen trugen die Totenkrone, die mit vielen Glasperlen und Goldplättchen geschmückt war („Kliätergold", von kliätern = klappern, klingen). Die Totenkrone war keine hoch aufgebaute Krone, sondern nur eine größere kugelige Mütze, oben mit einem kleinen Kreuz, vorn mit einem kleinen 2 bis 3 cm breiten weißen „Strich" (vorstehender Rand). Die Krone kam mit in den Sarg. Anscheinend haben die Nonnen im Kloster Oesede solche Kronen hergestellt, da es 1749 bei den Beerdigungskosten einer Jungfrau heißt: „Dem Kloster für die Cronen auf dem Haupt 8 Schilling." In Hagen trugen Jungfrauen einen weißen Kranz aus Hundskamille. Den Jünglingen wurde ein grüner Kranz aus Kronsbeeren (Preiselbeeren), nicht Buchsbaum, aufgesetzt, verheirateten Männern dagegen eine weiße Zipfelmütze („Pümpelmüssen"). Die Kleidernachbarn legten die Toten später auch in den Sarg, der aus starken Eichenbrettern hergestellt und stets schwarz angestrichen war. Oben auf dem Deckel war ein weißes Papierkreuz befestigt.

Nach dem Einkleiden gab es für die Frauen Kaffee. Zwischendurch wurde auch schon der Schnapsflasche zugesprochen.

Wer den Toten rasierte, erhielt dessen Rasiermesser oder in späterer Zeit einen Taler. Der Trauring wurde meist abgenommen und als Andenken aufbewahrt. Der Tote bekam dafür den gewöhnlichen „Oldsgsring" angesteckt. Auch das Kommunionsbild, das der Verstorbene vom Pastor erhalten hatte, kam mit in den Sarg.

In Hagen gab man um 1870 den Toten öfters ein Goldstück mit. Junge Ehefrauen erhielten auch wohl das „Trüwwestück" und das Halskreuz mit in den Sarg. Manchmal wurde dem Toten auch Geld mit in die Erde gegeben, das er durch übermäßige Preise gewonnen hatte, „damit er es wieder gut machen konnte".

Einer im Wochenbett gestorbenen Frau legte man das tote Kind in den Arm. In Hagen gab man gestorbene, neugeborene Kinder Toten, die gerade über der Erde standen, mit in den Sarg. Dabei war es einerlei, ob es Männer oder Frauen, Bekannte oder Fremde waren.

Die Gemeinde wurde durch die sogenannte „Bursprauke" (Bursprache; Bur = Bauerschaft) zur Teilnahme an der Beerdigung eingeladen. Hierbei muß man sich die Häuser der Gemeinde in einem Kreise liegend denken. Der erste Nachbar „sagte die Bursprache an". Er brachte die Nachricht nach dem nächsten Hause rechts und links des Trauerhauses. Von dort wurde sie an das jeweils folgende Haus

weiter gegeben. So breitete sich die Nachricht immer weiter
nach beiden Seiten aus. In Kloster-Oesede hatte der erste
Nachbar die Bursprache auch nach Sieker zu bringen, da
der dort gelegene Teil der Gemeinde einen neuen Kleineren
Kreis bildete. Für jedes Haus stand genau fest, zu welchem
es die Bursprache zu bringen hatte. Kam die Bursprache von
rechts, so mußte sie zu dem bestimmten Hause an der
Linken gebracht werden. Wurde sie aber von links über-
bracht, so ging sie zu dem Hause an der rechten Seite. Jeder,
auch ein Kind, konnte die Bursprache weitergeben. Alle
waren aber bestrebt, das möglichst schnell zu besorgen,
damit sie nur nicht „liegenblieb". Keiner wollte, daß bei ihm
die Bursprache zusammenkam, d. h. sich hier der Kreis
schloß, die Bursprache sowohl von rechts wie von links sich
vereinigte. Man meinte, wo die Bursprache „tohoupe-
kümp", von dort ging sie auch wieder los. Man meinte
damit, hier stürbe der nächste aus der Gemeinde. Wer die
Bursprache brachte, durfte weder vorher noch nachher die
Tageszeit wünschen. Er öffnete nur den oberen Teil der
Seitentür und rief die Nachricht laut ins Haus. Erst dann
durfte er das Haus betreten. Die Bursprache hatte stets die
feststehende, etwas befehlsmäßig klingende Form: „Muoen
froh nigen Uhr mit den siäligen N.N. to Grawe gaun." Stets
hieß es neun Uhr, auch wenn die Beerdigung zu einer
anderen Zeit stattfand. In Hagen lautete die Formel: „Hüte
Auwend uppe Dowake (Totenwache), un muoen froh mit
'n Liken (Leiche)." Der letzte, der die Bursprache erhielt,
mußte sie laut in eine „Hucht" (Kopfbuche, -weide), in den
Wald oder einen Graben sagen, jedenfalls sie „aus dem
Hause bringen", sonst starb jemand in dem Hause.

Beim Tode des Bauern oder seiner Frau erhielten alle
Hausgenossen ein sogenanntes „Trorstück" (Trauerstück).
Für die Mägde bestand es aus einem schwarzen Kleid und
einem weißen Taschentuch, für Knechte aus einer schwarzen Mütze und einem weißen Taschentuch. Sie erhielten
keinen Anzug. Der erste Nachbar bestellte das Geläut und
den Zimmermann und besorgte den Totenschein. Solange
ein Toter im Hause aufgebahrt war, mußten alle lauten
Geräusche vermieden werden. Es durfte keine Feldarbeit
verrichtet werden. Dringend nötige Feldarbeiten konnten
von den Nachbarn und Heuerleuten besorgt werden. So

kam es etwa vor, daß zur Erntezeit die Nachbarn und Heuerleute ohne Vorwissen der Hausbewohner für sie Heu und Korn einholten. Die Kinder brauchten solange ein Toter im Hause lag nicht zur Schule.

Jeder, der in ein Trauerhaus trat, kniete vor dem Gruß gleich an der Tür zu einem kurzen Gebet nieder.

Schleifte in einem Hause, in dem ein Toter über der Erde stand oder kürzlich jemand gestorben war, ein Huhn einen Strohhalm über dem Schwanz mit, so sah der Volksglaube darin die Ankündigung eines neuen Sterbefalles. Machte der Gestorbene ein freundliches Gesicht, so mußte nach der Meinung des Volkes bald einer der Verwandten folgen. Einer Leiche schrieb der Volksglaube auch besondere Kräfte zu: Ein Muttermal verschwindet, wenn man damit eine Leiche berührt. Streicht man mit einer Warze über eine Leiche, so verschwindet die Warze. Warzen gehen aber auch weg, wenn man einen Faden mit soviel Knoten, wie man Warzen hat, in den Sarg legt. Gibt man einem Toten drei Läuse mit in den Sarg, so verschwinden alle Läuse in dem Hause. Gibt man dem Toten aber keine Läuse mit, so kann man die Läuse im Hause nie vertilgen. Man nannte die Läuse, die der Tote mitbekam, „Erbläuse".

Am letzten Abend vor der Beerdigung ging man „uppe Dowake", auf die Totenwacht. Aus der Nachbarschaft und von den Heuerleuten kam aus jedem Hause wenigstens eine Person. Daneben fanden sich viele aus der ganzen Gemeinde ein. Diese „Dowake" war eine Gebetsstunde für die Seelenruhe des Verstorbenen. Die Hausgenossen nahmen nicht daran teil. Sie zogen sich in ein Zimmer zurück. Der Sarg stand stets auf der Diele unter der oberen Bodenluke auf zwei mit weißen Laken bedeckten Flachsbraken. Danenben lag der Deckel, meist mit einem Kranz darauf, den die Nachbarn gebunden hatten. Auf dem Deckel brannten vier Lichter, mitten dazwischen stand ein Kruzifix. Im Winter brannte auf dem offenen Herde ein großes Feuer. Die Leute setzten sich rundherum, den Rücken dem Toten zugekehrt. Gebetet wurden alle drei Rosenkränze und sonstige Wechselgebete. Nach dem Gebet wurde Schnaps eingegossen, „damit man nicht angesteckt wurde".

Nach der „Dowake" kam die „Nachtwake". Von jedem
Nachbarhause blieb jemand im Totenhause, es war nicht
vorgeschrieben wer. Diese Nachtwache hatte nur aufzupas-
sen, daß die Leiche, die auf der Diele stehen blieb, nicht von
Tieren beschädigt wurde, und das Feuer zu unterhalten.
Dabei wurde meist sehr reichlich Schnaps getrunken. Sobald die Leute im Trauerhause aufstanden, war die Nachtwache beendet. In der Hagener Niedermark wollten die
Bauern die Nachtwache nicht mehr durchführen, und eine
Frau, Doenfruwwe genannt, übernahm dieselbe. Bei der
Beerdigung saß sie mit einer Laterne in der Hand vorn auf
dem Leichenwagen. Sie bekam für die drei Nachtwachen -
sie wachte vom Tode bis zum Beerdigungstage - einen Taler.
Wenn die ersten Teilnehmer der Beerdigung eintrafen, zogen sich die nächsten Angehörigen in die beste Stube zurück. Die Tür ließ man aber offen stehen. Die Ankommenden knieten zuerst am Sarge nieder und beteten ein Vaterunser für den Verstorbenen. Die meisten drückten auch den
Angehörigen ihr Beileid aus, eine bestimmte Form war
dafür nicht vorgeschrieben. Die Trauergäste bekamen Kaffee mit Zwieback und „Müffkes" (weiche Brötchen). Die
Küche und alle Versorgungen hatten an diesem Tage die
Nachbarfrauen.

Der Zimmermann schloß den Sarg. Vorher oder nachher
forderte er die Anwesenden auf, noch ein Vaterunser für
den Verstorbenen zu beten. Alles kniete nieder und betete
leise. Darauf sagte der Zimmermann: „Löt us no en Vaterunser biän för den ersten, de em naufolget."

Die Nachbarn und nächsten Anwohner trugen den Sarg.
Bei Ledigen waren die Träger stets auch unverheiratet, bei
Verheirateten auch verheiratet. Jeder Träger bekam ¼ Pfund
Tabak und Schnaps, in neuerer Zeit ein Taschentuch. Die
Taschentücher waren an die Griffe des Sarges geknüpft und
wurden von den Trägern beim Niedersetzen auf dem Kirch-
hof abgenommen. Die Leiche mußte stets mit den Füßen
voran aus dem Hause getragen werden.

An dem Begräbnis nahmen alle Hausgenossen teil. Im
Dorf Oesede wurde die Leiche früher getragen, während
die Toten aus Dröper und Kloster-Oesede gefahren wurden. Wer Pferde hatte, fuhr den Leichenwagen selbst. Bei

kleineren Bauern und Heuerleuten fuhr der erste Nachbar
bzw. der Bauer. Bei Vollerben wurde der Leichenwagen mit
vier Pferden gefahren. Kutscher war der Pferdeknecht.
Fuhr er für Nachbarn oder Heuerleute, so erhielt er ¼
Pfund Tabak oder das Geld dafür. Die Pferde des Leichen-
wagens wurden meist an der Hand geführt, nur selten
wurden sie vom Wagen aus gelenkt. Als Leichenwagen
diente ein Leiterwagen. Durchweg hatte man dafür aber
besondere kürzere Leitern (Ringsen). Bei der Rückkehr
mußte der Totenwagen gleich „abgekleidet" werden (Leitern herunternehmen), „sonst mußte er sofort wieder los".
Der Leichenwagen fuhr nicht auf die Diele, sondern blieb
vor dem Hause stehen. Auf den Leiterwagen kamen unter
den Sarg zusammengerollte Strohwische („Strauwip").
Diese wurden vor dem Kirchhofe beim Abnehmen des
Sarges heruntergeworfen und gehörten dem Totengräber.
Unterwegs durfte der Leichenwagen nie halten, sonst mußten nach der Meinung des Volkes die Pferde bald wieder
einen Sarg fahren. Als Besonderheit sei erwähnt, daß ein am
Galgen Gestorbener mit dem Kopfe voran zum Kirchhof
gefahren wurde.

Sobald die Leiche aus dem Hause war, wurde das Licht
ausgelöscht und alles weggeräumt, was bei der Aufbahrung
benutzt war. Auch mußte die „Niendür" sofort geschlossen
werden, sonst mußte der Tote „wiegaun" (nach dem Tode
wiederkommen).

Der Glaube an das „Wiegaun" war sehr stark. Noch jetzt
gibt es eine Menge Geschichten über Tote, die im Grabe
keine Ruhe finden konnten. Durchweg schließen sich alle
Sagen über „Wiegaun" an getanes Unrecht an. „Wiegaun"
mußte, wer einen Grenzstein versetzt, ein Gelübde nicht
erfüllt oder ein Unrecht begangen hatte, das er zwar auf dem
Sterbebette bereut, aber nicht wieder gutgemacht hatte.
Besonders über Wiederkehren wegen Grenzverletzung gibt
es viele Geschichten. Da der Tote dann gerade an der Stelle
zu sehen war, wo er das Unrecht begangen hatte, können
alte Leute noch jetzt eine ganze Reihe Orte in der Gemeinde
angeben, wo Tote umgegangen sind. Erzählt wird auch, daß
vor 100 Jahren der Küster in Oesede beim Aufschließen der
Kirche mehrfach einen verstorbenen Priester am Altare die
heilige Messe lesen sah. Derselbe sollte vergessen haben,

eine bestellte Totenmesse zu lesen. Als aber ein anderer Priester ihm laut zugerufen habe, er werde die vergessene Messe für ihn lesen, sei er nicht mehr wiedergekommen.

War der Tote beim „Wiegaun" schwarz, so war er verloren, d. h. in der Hölle. Halb schwarz und halb weiß zeigte, daß er noch gerettet werden konnte. Er hatte dann noch etwas zu erfüllen. Wer ein Gelübde nicht erfüllt hatte, kam weiß. Der Tote redete bei der Wiederkehr. Er sagte etwa: „Da in der Tasse ist Geld, das habe ich noch für den Zweck bestimmt." „Dies und jenes habe ich angenommen zu tun, ich bin darüber weggestorben."

Sah man einen Toten, so sagte man: „Alle guten Geister loben Gott." Der Tote antwortete: „Ich auch", (Hagen) oder „Wir wollen ihn loben, hilf uns" (Oesede). Dann erzählte der Tote sein Anliegen. Reichte er zum Abschied die Hand, so durfte man sie nicht anfassen, sonst verbrannte man sich die Finger. Nahm man ein Handtuch oder ein Stück Zeug in die Hand, so waren in dem Stück nachher Brandflecken.

Oft wurde auch erzählt von Leuten, die ihren Angehörigen versprochen hatten, nach dem Tode zu kommen, um „ihnen Bescheid zu sagen, wie es oben aussieht.". Solche Verabredungen sollte man nach Meinung des Volkes nicht treffen, da sie für den Toten sehr beschwerlich und gefährlich seien.

War der Sarg geschlossen worden, nahm einer der Nachbarn die Kerzen, die bislang auf dem Deckel gestanden hatten (die Kerzenhalter wurden oft von der Kirche geliehen), legte sie in einen Korb und ging damit schnell dem Leichenzuge voraus zur Kirche. Der Küster stellte diese Lichter auf die Kommunionbank, damit sie während der Totenmesse brannten. Die Reste verblieben der Kirche.

Auf dem Wege zum Kirchhof wurde nicht gebetet. Die Männer trugen den Kopf bedeckt. Hinter dem Leichenwagen folgten die Leidtragenden nach dem Grade der Verwandtschaft. Die Träger schritten neben dem Wagen her. Der „Leichenweg" war für jeden Hof genau vorgeschrieben. Oft war es ein Weg, der sonst nicht benutzt werden durfte. Ein Leichenweg konnte nie gesperrt werden. Der Leichenweg für Kloster-Oesede ging über Dröper, der der

Kloster-Erbpächter über die Egge. Durch das Dütetal führte früher kein Fahrweg.

In dem geschlossenen Dorfteil sowohl von Hagen wie von Oesede wurde die Leiche von dem Geistlichen, dem Küster und den größeren Schulkindern „ausgeholt", d. h. im Sterbehause selbst eingesegnet und dann zum Friedhof begleitet. Auf dem Wege zum Grabe sangen die Schulkinder:

Hier lieg ich auf der Totenbahr',
Ihr tragt mich jetzt zum Grabe,
Heut seid ihr noch, was ich einst war,
Ihr seids durch Gottes Gabe.

Vor dem Kirchhof wurde der Sarg vom Wagen genommen und in dem Eingang zum Kirchhof auf die Totenbahre gestellt. Dort wurde er vom Pfarrer eingesegnet. In Hagen und Oesede öffnete man den Sarg nicht wieder. In einigen benachbarten Orten wurde der Sarg aber vor dem Kirchhof wieder geöffnet. Man sagt, dort sei früher einer scheintot gewesen, was man erst auf dem Wege zum Friedhof bemerkt hatte.

Zum Hinablassen des Sarges waren an den Griffen Leinen befestigt. Diese wurden nachher kreuzweise über den Sarg geworfen. Nach der Beerdigung betete man auf dem Friedhof ein Vaterunser für den Verstorbenen und für denjenigen, der zuerst sterben werde.

Nach dem Begräbnis war in der Kirche die Totenmesse. In der Kirche gingen alle Leidtragenden um den Hochaltar und legten ein Opfergeld auf den Teller, der auf dem Tische für die Meßkännchen (Kredenztisch) aufgestellt war. Das Opfergeld bekamen der Pastor und der Küster. Je nach den Mitteln des Verstorbenen oder dessen Angehörigen war ein Seelenamt oder einfach eine stille Messe mit Rosenkranzgebet.

Die Sodalität der Verehelichten in Oesede hatte zwei Tafeln, auf die ein Totenkopf gemalt war. Diese Tafeln wurden bei Totenmessen für Angehörige der Sodalität auf beiden Seiten des Altares aufgestellt.

Nach der Messe schilderte der Priester vom Altare aus kurz den Lebenslauf des Verstorbenen. Eine richtige Predigt von der Kanzel mußte besonders bezahlt werden.

Nach dem Kirchgang gab es im Wirtshaus das Leichen-
bier (in späterer Zeit Kaffee mit Zwieback und „Müffkes")
für alle Teilnehmer. Nach dem Schließen des Sarges im
Trauerhause hatte deshalb der Zimmermann bereits gesagt:
„Dat Likenbeer gift bi N. N." Man sagt dazu „dat Fell
vösupen". Nach der Verordnung von 1780 durfte vor der
Beerdigung kein Schnaps oder Bier ausgeschenkt werden,
nachher aber ½ bis 1 Tonne Bier, sonst nichts.

Jedes Kind, das am Begräbnis teilnahm, ebenso jeder
Meßdiener und die Jungen, die geläutet hatten, erhielten
einen „langen Stuten" (Semmel).

Während des Begräbnisses hatten die Nachbarfrauen im
Trauerhause das Essen („Likenschmaus") bereitet. Daran
nahmen nur die nächsten Verwandten und die Nachbarn
teil. Die Mägde der Nachbarn brachten in der Frühe des
Begräbnistages Eßwaren, hauptsächlich Milch und Butter,
zu der Bewirtung der Trauergäste vor dem Begräbnis. Sie
erhielten dafür auch Kaffee mit Zwieback.

Erbbegräbnisse gab es in Hagen und Oesede nicht. Un-
getaufte Kinder wurden an der Kirchhofsmauer begraben.
Nur die Familien von Korff und Stael zu Sutthausen hatten
unter der Kirche bzw. Sakristei zu Oesede Erbbegräbnisse
erworben. Starb einer aus diesen beiden Häusern, so brach-
ten die Sutthauser Wrechtenleute die Leiche bis an den
Kirchhof. Von dort trugen die acht Vollerben aus Dorf
Oesede sie. Dafür erhielten sie ein kleines Faß Bier (eine
Tonne) oder 1 Taler. Auch gingen bei Toten aus den beiden
Familien nicht nur die Kinder der Oberklasse, sondern alle
Schulkinder mit zur Beerdigung. Bei einem solchen Begräbnis erhielten dann auch alle Schulkinder eine Semmel, später
einen „Halben-Groschen-Stuten". 1829 verlangte von
Korff den Beweis, daß er Leichen durch Oeseder Bauern
tragen lassen und dafür eine Tonne Bier geben müsse. Er
wollte sie durch eigene Leute tragen lassen. Mit seiner
Forderung drang er aber nicht durch.

Bei der Beerdigung eines von Korff, Stael und eines Geistlichen war während des Seelenamtes in der Kirche ein
Katafalk (Tumba, „Lügensarg") aufgebaut.

Grabsteine waren früher nicht üblich. Sie sind erst in
neuerer Zeit aufgekommen. Dafür setzte man meist ein

hölzernes Kreuz oder Totenbretter mit einem kleinen Kreuz, worauf Name und Geburts- und Sterbedaten angegeben waren und oft noch ein kurzer Spruch. Vereinzelt waren auch eiserne Kreuze im Gebrauch.

Beim Tode eines Leibzüchters hatte der Hof den Sarg zu stellen und alle Beerdigungskosten zu zahlen. Bei Heuerleuten lieferte der Bauer das Holz für den Sarg. Nach 1800 siedelten sich viele Neubauern an, die Land in Erbpacht erwarben. Fast durchweg wurde in diesen Erbpachtverträgen ausgemacht, daß der Bauer den Totenwagen zu fahren hatte.

Sehr wichtig war für die Frauen die Frage der Trauerkleidung. Man unterschied eine tiefe Trauer (depe Tror) und Halbtrauer. Für Ehegatten, Eltern, Kinder und Geschwister war ein Jahr tiefe Trauer und noch sechs Wochen Halbtrauer zu tragen, für Nachbarn und entfernte Verwandte sechs Wochen tiefe Trauer und dann bis ein Vierteljahr nach dem Todesfall Halbtrauer.

Als Zeichen der Trauer trugen die Männer ein schwarzes Halstuch. Für die Frauen, die gewöhnlich die Goldmütze, helle, bunte, bestickte Mützenbänder, weißes Schultertuch und das goldene „Halsgeschirr" trugen, war für die tiefe Trauer die schwarze, nur aus Spitzen und schwarzen Perlen ohne Gold- oder Silberplättchen hergestellte Mütze, schwarze Mützenbänder, schwarzes Schultertuch und silbernes „Halsgeschirr" vorgeschrieben, für die Halbtrauer aber Silbermütze mit blauen Mützenbändern und silbernes Hals-Geschirr. Die Jungfrauen trugen zur tiefen Trauer eine schlichte weiße Mütze mit schwarzem Band, zur Halbtrauer eine weiße Mütze mit blauem Band.

Die Beerdigungsgebühr betrug um 1670 in Oesede ohne Unterschied ½ Rtl. (Reichstaler). In Hagen bekam der Pastor 1625 ein Huhn, 1651 erhielt er aber bei der Beerdigung eines Erwachsenen ½ Rtl., bei einem Kinde aber ¼ Rtl. und ein Huhn. Für einen Krankenbesuch (Versehgang) waren 5 Schilling zu entrichten. Bis 1650 war ein Empfang der Sterbesakramente in Oesede kaum möglich, da der Pfarrer in Osnabrück wohnte und nur zu den Sonn- und Feiertagen nach Oesede kam. In dem weiten Kirchspiel Hagen hielt der Pastor ein Reitpferd. Die Versehgänge machte er zu

Pferd. Für den Unterhalt des Pferdes gaben die Bauern
jährlich je einen Scheffel Hafer, den sogenannten Krankenhafer. Dieser Krankenhafer wird schon 1651 erwähnt. Da
er auch von den evangelischen Bauern der Niedermark
entrichtet wurde, ist anzunehmen, daß er vor der Reforma-
tion eingeführt wurde. Vor etwa 100 Jahren ließ der dama-
lige alte Pfarrer sich das Pferd in die Kirche bis an die
Kommunionbank führen. Von den Stufen derselben aus
bestieg er dann das Pferd und ritt aus der Kirche.

Etwa um 1800 betrug die Krankenjura 9 Mgr. (Mariengroschen) und die Beerdigungskosten einschließlich Messe
1 Rtl. 1850 wird angegeben, daß für einen Krankenbesuch
9 Mgr. zu zahlen sind, wovon der Küster 2 Mgr. 4 Pfg. erhält.
Für das „Verscheidenläuten" (gleich nach dem Tode) erhielt
der Küster kein Entgelt. Jedes weitere Totengeläut mußte
bestellt werden, und es waren für die Stunde 3 Mgr. zu
zahlen. Für die Beerdigung eines Kindes erhielt der Pastor
18 und der Küster 9 Mgr. Außerdem erhielt der Küster für
das Beten des Rosenkranzes 3 Mgr. Für das Begräbnis eines
Erwachsenen einschließlich Messe waren dem Pastor 1 Rtl.
und dem Küster 18 Mgr. zu entrichten. Sollte Orgel gespielt
werden, so mußten dafür 6 Mgr. gegeben werden. Das
Opfergeld war für den Pastor. Wurde die Leiche aus dem
Hause abgeholt, so erhielt der Pastor je nach der Entfernung
12 bis 24, der Küster 6 bis 12 Mgr. Für eine Predigt von der
Kanzel nach der Totenmesse mußte man mindestens 18
Mgr. bezahlen.

Nach einer Aufzeichnung bezahlte nach 1815 Stael für die
Beerdigung in Oesede dem Pastor 4 Rtl., dem Küster 2 Rtl.,
den 8 Leichenträgern 1 ½ Rtl., für die Tonne Bier 2 ½ Rtl.,
für das „Bolltuch" über der Tumba 1 Rtl. und dem Küster
für das Geläut und die Herrichtung der Tumba noch 4 Rtl.

In alter Zeit war kein Totengräber angestellt. Jeder ließ
das Grab auswerfen, durch wen er wollte. Etwa um 1825
wurde in Oesede der erste Totengräber angestellt. Er erhielt
6 Mgr. für ein Grab, 1858 wurde die Gebühr auf 9 Mgr.
festgesetzt. Außer der Gebühr erhielt der Totengräber das
Gras des Kirchhofes und durfte persönlich an dem Toten-
bier teilnehmen oder eine Kanne Bier holen lassen.

Bald nach dem 30jährigen Kriege setzte die Stiftung von ewigen Jahresmessen und Jahrgebeten für die Verstorbenen ein. Viele dieser Stiftungen waren mit Zuwendungen an die Armen verbunden. Diese hatten in den Jahresmessen den Rosenkranz zu beten. Nach der Messe wurden dann die Zinsen der Stiftung unter die Armen verteilt. Verschiedentlich war auch dem Küster ein Teil der Stiftung zugewendet, wofür dieser den Rosenkranz zu beten hatte. In der Oeseder Pfarrkirche waren über 200 ewige Jahresmessen gestiftet. Etwa 50 davon waren mit Armenstiftungen verbunden.

4. Die Tracht

Die Männertracht ist seit Menschengedenken in Oesede nicht mehr getragen worden. Wir haben auch keine Nachricht über ihre Beschaffenheit. Die Bauernfrauen trugen bis etwa 1870/80 allgemein Tracht. Nach dieser Zeit kam sie schnell ab, und um 1900 sah man nur noch ganz vereinzelt eine Frau in der alten Tracht.

Die Tracht war nicht etwas Beständiges. Sie wandelte sich, wenn auch nur ganz allmählich. Woher die Tracht ursprünglich stammt, wissen wir nicht mehr. Fachgelehrte nehmen an, daß sie von der städtischen Frauenmode übernommen ist. Die Frauentracht war auch nicht in der ganzen Gegend gleich. Nur das Kirchspiel hatte einheitliche Tracht, im Nachbardorf war sie schon wieder etwas anders. In Kirchspielen mit verschiedenen Konfessionen hatten Katholiken sogar eine andere Tracht als Protestanten. So konnte man an der Kleidung schon erkennen, woher eine Frau stammte. Im Hause und bei der Arbeit trugen die Frauen selbstverständlich einfaches, derbes Zeug. Nur an Sonntagen und zu allen Festlichkeiten wurde die Tracht angelegt.

Die beigefügten Bilder wurden 1932 auf Veranlassung des Verfassers von Hans Hasekamp aufgenommen. Nur in einer Einzelheit stimmen die Aufnahmen mit der alten Oeseder Tracht nicht überein. Das weiße Tuch auf Bild I und II gehört zur Gesmolder Tracht, von Oesede war keines mehr aufzufinden. Das Oeseder Tuch war aber ganz ähnlich, nur hatte es am Rande keine Zacken, sondern war mit Fransen („Franjen“) eingefaßt. Die Hagener Tracht wich in

Oeseder Tracht I.
Links: Frauentracht mit Goldmütze, rechts: Mädchentracht

Kleinigkeiten von der Oeseder ab. Die Unterschiede waren
den alten Personen, die mir bei der Zusammenstellung der
Bräuche behilflich waren, aber nicht bekannt. Die abgebil-
deten Trachten befinden sich im Besitz der Bäuerin Völler
in Mentrup.

Bei der Tracht bestand ein Unterschied zwischen der von
verheirateten Frauen und der von jungen Mädchen. Das

Oeseder Tracht II.
Links: Mädchentracht, rechts: Frauentracht mit Goldmütze

wichtigste Stück der Frauentracht war die Mütze. Sie hatte
vorn einen steif gestärkten und in Fältchen geplätteten
(„geknüttelten") schräg nach oben stehenden Rand,
„Strich" genannt. Der „Strich" war aus durchbrochener
Leinwand oder Gaze hergestellt. An der Mütze waren zwei
breite, buntbestickte Seidenbänder. Diese wurden unter
dem Kinn zu einer großen Schleife gebunden. Um die
Schulter trugen die Frauen große Tücher aus Wolle oder
Seide. Zwischen Mütze und Schultertuch war die weiße
Halskrause („Oberhemd") zu sehen (Bild III, IV). Weiter

Oeseder Tracht III.
Links: Frauentracht mit Silbermütze, rechts: Frau in Trauertracht

gehörten zur Tracht noch die seidene Schürze, die Ohrringe
(Bild I) und das „Halsgeschirr", die Halskette mit dem
reichverzierten Kreuz und Schloß (Bild I, III, VI). Das
silberne Halsgeschirr war ein schwarzes Samtband, mit
Silberperlen und -plättchen bestickt. Ringe waren zur
Tracht nicht vorgeschrieben (Bild I, IV, VI).

Es genügte für eine Frau aber nicht eine Tracht. Für
verschiedene Begebenheiten waren auch verschiedene
Trachten vorgeschrieben. So mußte eine Frau mindestens
eine Gold-, eine Silber- und eine schwarze Trauermütze
besitzen. Meist hatte sie noch eine zweite, nicht so wertvolle
Gold- und Silbermütze. Gold- und Silbermütze waren
meist gleich gearbeitet, nur daß bei der ersteren die zu

Oeseder Tracht IV.
Links: Frau in Trauertracht, rechts: Frauentracht mit Silbermütze

allerhand Figuren und Mustern zusammengestellten Plättchen aus Gold, bei der letzteren aus Silber bestanden.

Die Goldmütze mit dem weißen Tuch, ein schwarzes
Kleid und goldenes Halsgeschirr trugen die Frauen zu den
vier Hochzeiten (Weihnachten, Ostern Pfingsten, Mariä
Himmelfahrt), zur Kommunion, auf Hochzeiten und als
Taufpaten (Bild I und II). Auf Hochzeiten wurde aber statt
des weißen ein braunseidenes Tuch umgelegt. An gewöhnlichen Sonntagen gingen die Frauen mit der Goldmütze,
schwarzem Tuch und einem dunklen Kleide. Die Silbermütze mit blauen Bändern, schwarzes Tuch und silbernes
Halsgeschirr waren die Tracht für die Halbtrauer. Sonst
wurde die Silbermütze mit weißen Bändern getragen (Bild

Oeser Tracht V.
Links: Mädchentracht, mitte: Frau in Trauertracht, rechts: Frau mit Nebelkappe

III und IV). Für die tiefe Trauer waren die schwarze, nur aus Spitzen und schwarzen Perlen und Plättchen hergestellte Mütze, schwarze Mützenbänder, schwarzes Tuch und silbernes Halsgeschirr vorgeschrieben (Bild III, IV, V). In dieser Trauertracht kamen die Frauen auch in den Sarg.

Da die Mütze und besonders der „Strich" durch die Feuchtigkeit ihre Form verloren, trug man bei Regen oder Nebel eine Kapuze über der Mütze. Der „Strich" wurde zurückgeklappt, so daß er mit unter die Kapuze kam (Bild V rechts). Vor der Kirche nahm man diese Nebelkappe („Niwelkappe") ab und klappte den „Strich" wieder nach vorn. Die Kappe wurde an den Schirm gehängt.

Die Mädchentracht glich in den meisten Teilen der Frauentracht. Die Mütze bestand aus weißem, gesticktem Tüll. Sie hatte auch, wie die der Frau, einen „Strich". Zum Hochamt trugen die Mädchen die Mütze mit breiten Bändern und weißem Tuch. Am Sonntagnachmittag setzten die Jungfrauen das auf Bild I, II, V und VI abgebildete einfache Häubchen aus buntgesticktem Seidenstoff auf. Auch hierzu waren breite Bänder, aber schwarzes Tuch üblich. Zur Trauer trugen die Mädchen die schlichte, weiße Tüllmütze, die

Oeseder Tracht VI.
Links: Mädchentracht, mitte: Frau mit Haube, Spätform der Tracht
um 1900, rechts: Frauentracht mit Silbermütze

hinten zwei schmale, weiße Bänder hatte. Mädchen hatten
nie ein Halsgeschirr.

Zur eigenen Hochzeit trug die Braut die Mädchenmütze.
Am ersten Sonntage nachher ging die junge Frau zum
erstenmal in der Goldmütze zum Hochamt. An diesem
Tage durfte sie nicht zur Frühmesse gehen.

Den Stoff für die Mützen kaufte man durchweg in Osnabrück. Bestickt wurden sie aber von Frauen im eigenen
Kirchspiel, die das als Gewerbe betrieben. Diese Frauen
stärkten und bügelten auch den „Strich" und die Bänder.
Für den „Strich" hatten sie einen besonderen Bügelapparat,
die Knüttelmaschine.

Die Mützen wurden in einem Mützenkorb aufbewahrt,
der meist aus dünnen Holzspänen hergestellt war. Der
Deckel war bunt bemalt.

Das Mädchen bekam die Tracht zur ersten heiligen Kom-
munion, die damals mit der Schulentlassung zusammenfiel.
Die drei Frauenmützen und das Halsgeschirr mußte der
Bräutigam der Braut schenken. Das konnte leicht eine kost-

spielige Angelegenheit werden. Um 1860 kostete eine Goldmütze, wie sie für Töchter größerer Bauern üblich war, 48 Taler. Zum Vergleich sei angeführt, daß damals der Lohn einer Magd nur 5 Taler halbjährlich betrug.

Die Haube auf Bild VI (Mitte) ist keine eigentliche Tracht unserer Heimat. Sie wurde vielmehr erst eingeführt, als die alte Tracht abkam, die Frauen aber nicht die neumodischen Hüte tragen wollten. Solche „Dinger" waren ihnen doch etwas zu „unwis".

C. Bei der Arbeit

1. Die Ernte

Die bäuerliche Arbeit ist in den letzten Jahrzehnten in Verruf gekommen. Jungen und Mädchen wollen nicht mehr zu einem Bauern in die Arbeit, sie ziehen die Fabrik bzw. den städtischen Haushalt vor. Sicher ist die Arbeit des Bauern schmutzig, wie man so oft hört, aber sind es so viele Arbeiten im Hause oder in der Fabrik nicht auch? Die andern Einwände, lange Arbeitszeit, geringer Lohn und wenig Freizeit, sind in mancher Beziehung begründet, ganz falsch ist aber die Ansicht, die bäuerliche Arbeit sei langweilig. Durchweg sind bei allen Arbeiten mehrere Personen beschäftigt, und bei fast allen Arbeiten ist eine Unterhaltung möglich. Vor der Hauptarbeit, der Ernte, hat sich aber noch nie ein bäuerlicher Arbeiter gescheut. Gerade auf die Ernte freute man sich allgemein, denn sie brachte neben der vermehrten Arbeit ein frohes Zusammenwerken mit Unterhaltung über alle Dorfneuigkeiten, gegenseitiges Hänseln und auch sinnvolles Brauchtum.

Die Kornernte begann stets Jakobi (25. Juli). An diesem Tage war die „Klauster Brautfur" (Kloster-Brotfahrt). Nach altem Herkommen war dann morgens in Kloster-Oesede eine kleine Prozession mit dem Allerheiligsten. Nach der Prozession kaufte jeder „ein Streck" (Sensenstreicher), zu Hause wurde die Sense scharf gehämmert („hahn"), und am Nachmittag begann die Ernte.

Am ersten Erntetag trug jedes Mädchen die von der Herrschaft „zum Arndt" (Ernte) geschenkte neue blauleinene Schürze, jeder Knecht eine gleichartige Hose. Die Heuerleute aber erhielten zur Ernte kein Geschenk.

Die Großmagd, „graude Magd", hatte in der „Bunge" das nötige Naß, selbstgebrautes Bier, mitzunehmen. Die „Bunge" war ein kleines Faß aus Eichenholz mit einem Henkel. Vor etwa 70 Jahren traten an Stelle der „Bungen" die „Kobelänner", große blaue Krüge aus Steingut. „Kobelänner" hießen diese Krüge, weil sie aus der Gegend von Koblenz stammten. Sie wurden von Hausierern verkauft, die ihre

Wagen auf den besseren Wegen stehen ließen und die Waren in großen Körben auf dem Kopfe zu den einzelnen Häusern trugen. Das Bier wurde in „Köppkes" ausgeschenkt, mittelgroßen Schalen mit zwei „Ören" (Griffen), ähnlich den „Näppkes", die noch jetzt vielfach in Hagen in Gebrauch sind. Diese „Näppkes" wurden auch meist in Hagen hergestellt. Das Einschenken besorgte die Großmagd, die überhaupt für alle Getränke sorgen mußte, wenngleich die anderen Mädchen auch verpflichtet waren, ihr beim Tragen zu helfen.

Angefangen wurde am ersten Erntetag nicht eher, als bis alle Mitarbeiter versammelt waren. Mit dem Mähen begann man stets nach der „None" (Mittagsruhe), 2 Uhr nachmittags. Vor dem ersten Schnitt sagte man wohl: „Nun in Gottes Namen" oder ähnlich, wie überhaupt die Landleute den Wunsch „In Gottes Namen" vor jeder wichtigen Verrichtung aussprachen. Auch beim Antritt einer kleineren oder größeren Fahrt war es üblich, daß der Bauer bzw. die Zurückbleibenden wünschten: „Goot (fööt) in Gottes Namen."

Die Reihenfolge der Mäher war genau festgesetzt, ebenso, bei welchem Mäher jede Magd zu binden hatte, nur daß bei kleineren Bauern das eine oder andere Paar ausfiel. Es gab dann folgende Zusammenstellungen:

1. Paar: „Schulte" und „graude Maged",
2. Paar: „Schwöpenknecht" und „lütke Maged",
3. Paar: (falls vorhanden) „Mitknecht" und „Moormaged" oder „Kökenpüngel"
4. Paar: 1. Heuermann und dessen Frau oder Magd,
5. Paar: 2. Heuermann und dessen Frau oder Magd, usw.

Als letzter folgte stets, falls er selbst mitmähte, der Bauer. Meistens konnte er aber deshalb schon nicht mitmachen, weil ihm ein Binder fehlte. War ein Pferdejunge auf dem Hofe, so hatte der hinter dem Bauern zu binden. Tagelöhnerinnen nahm man nicht zur Ernte. Die Bäuerin blieb stets zu Hause „bi'n Pott".

Wer zum erstenmal bei einem Bauern band oder mähte, (Knecht, Heuermann oder Magd) mußte „eingeschrieben" werden. Auf die Aufforderung: „Wie mött di doch no inschriewen" hatte der Betreffende 1 Liter (Mägde ½ Liter) Schnaps auszugeben, womit die sogenannte Einschreibung ohne jede weitere Form vollzogen war.

Nahm der Binder - es heißt stets der Binder, nie die Binderin - das letzte Korn vor der Sense weg, so daß nichts Geschnittenes mehr liegenblieb, so mußte er ein Ort (¼ Liter) Branntwein ausgeben. Auch wenn der Mäher die Sense „strich" (schärfte), oder wenn Kaffee getrunken wurde, durfte nie alles Gemähte aufgenommen werden, nur am Abend und am Ende des Feldes. Mit dieser Strafe wollte man den Binder zwingen, stets weit genug hinter dem Mäher zurückzubleiben, um Verletzungen mit der Sense zu verhüten.

Den Streifen, den der Mäher abmähte, nannte man „Matt" (von Mahd). Einige nahmen „en rum Matt" (breiter Streifen), andere „en schmalet Matt". Das abgemähte Korn mußte fein in einer Reihe liegen. Beim Grase hieß diese Reihe „Gen" oder „Gene".

In alter Zeit gab es nachmittags nicht immer einen Imbiß („Vesper"). „Wann dat Ellernblatt is wi'n Grössen graut, dann giff den Knecht n' Vesperbraut." Beim Mähen gab es gegen ½ 4 Uhr „Kaffee" oder „Vesper": Kaffee, Schwarzbrot und Pfannkuchen. Der Pfannkuchen war in Öl gebakken, kleine Speckwürfel waren in den Teig gemengt. Von den großen Pfannkuchen bekam jeder Mäher und Binder ein Drittel. Der Kaffee wurde in dem großen kupfernen Kaffeekessel zum Felde gebracht. Getrunken wurde aus „Näppkes". Die sogenannten „Kümpkes" sind erst in neuerer Zeit in Gebrauch gekommen. Zwischen 6 und 7 Uhr gab es noch eine kurze Pause. Dann schenkte der Schulte Schnaps ein. Dazu aß jeder die Reste seines Vesperbrotes.

Jeder hatte am Nachmittag 2 Scheffelsaat zu mähen. Diese Bestimmung wurde allerdings nicht sehr scharf gehandhabt, zumal bei Lagerung des Getreides oft große Verzögerungen eintraten. Wurde am Vormittag gemäht, so hatte jeder ein Scheffelsaat niederzulegen. Vormittags fing man erst nach dem Frühstück an, da das Korn vom Tau trocken sein mußte.

Vielfach hatte sich die Unsitte eingebürgert, nach Arbeitsschluß noch Branntwein herbeizuschaffen und stundenlang zu trinken, während die Frau zu Hause mit dem Essen wartete. Zum Abendessen gab es Gemüse vom Mittag und Milchsuppe mit Schwarzbrot zum Einbrocken. Fleisch kam in alter Zeit zum Abendbrot nicht auf den Tisch.

Die letzte Garbe jeder Getreideart hieß „de Aule" (der Alte). Wer die letzte Garbe mähte, mußte „einen ausgeben". Deshalb suchten alle sich daran vorbeizudrücken und nahmen nur ein ganz schmales „Matt". Jeder Mäher, der so daran vorbeimähen wollte, mußte aber am Ende eine volle Garbe haben, sonst bekam er doch den „Aulen" zugesprochen. Man versuchte auch wohl, eine bestimmte Person darauf hängen zu lassen, indem die vorderen Mäher je nach Gelegenheit ein sehr schmales oder auch ein breites „Matt" nahmen. Wer den „Alten" hatte, wurde laut ausgerufen, z. B. „de Schulte un de graude Maged häwwet den Aulen". Alle antworteten: „Dann söllt se'n auk behaulen." Der „Alte" wurde mit zwei Seilen gebunden und sofort aufgestellt. Oben drauf steckte man einen grünen Strauß.

Das Korn blieb je nach der Witterung ein oder zwei Tage liegen, dann wurde es „aufgesetzt". Meist wurde gegen Abend aufgestellt, was am Tage vorher gemäht war. Jeder Mäher setzte mit seinem Binder eine Reihe zusammen. Der Mäher stellte stets das erste Paar auf („ansetten"), auch hatte er von den fünf Paar Garben, die zu einer „halben Stiege" gehörten, drei Paar aufzustellen, der Binder nur zwei Paar. Dafür nahm er die nächstliegenden Garben, während der Binder die weiter entfernt liegenden holen mußte. Roggen und Weizen wurden in „halbe Siegen", Hafer zu vier Gar-

»halbe Stiegen« (links)
»Hocken« (rechts)

ben in „Hocken" gestellt. Die Hocken wurden oben mit einem Strohbund zusammengebunden. Blieb zuletzt auf dem Felde eine einzelne Garbe übrig, so mußte derjenige, der sie aufgenommen hatte, dabei stehen bleiben. Das war aber nur eine Redensart, da er sie zu irgendeiner Stiege oder Hocke stellte.

Gerste wurde nicht gebunden, sondern nur in Reihen ausgelegt. Auch wurde sie stets vormittags gemäht. Die Feuchtigkeit des Taues verhinderte das Ausfallen der Körner. Deshalb fing man schon morgens gegen fünf Uhr an.

Bis sieben Uhr wurde nüchtern gemäht, dann erst gab es Hafergrütze oder „Süppken" (Weizenmehlsuppe) mit Pfannkuchen. Da am Vormittag jeder nur ein Scheffelsaat zu mähen hatte, war gegen acht Uhr Schluß. Weil die Gerste nicht gebunden wurde, gab es auch keinen „Alten".

War das letzte Korn (Hafer) gemäht, so stellten sich am Abend bei der Heimkehr alle Mäher in einer Reihe vor dem Hoftor auf, jeder Binder trat hinter seinen Mäher, und dann fingen die Mäher an, ihre Sensen zu wetzen. Dann mußte schleunigst der Bauer mit der Flasche kommen, sonst wurde ihm der Kohl im Garten abgemäht.

Beim Einfahren des Kornes gab es keine „None" (Mittagsruhe), sondern man begann um 1 Uhr, bei schlechter Witterung auch wohl früher, um 12 Uhr oder bereits am Vormittag. Durchweg mußten die Heuerleute, falls sie nicht bereits am Tage vorher die Nachricht mitbekommen hatten, besonders bestellt werden. Nur Bauer Musenberg in Oesede rief die Heuerleute durch Hornruf und Haus Brinke die Wrechtenleute mit der Glocke zusammen. Zum Einfahren hatten die Heuerleute nur je eine Person zu stellen.

Jeder hatte beim Einfahren seine bestimmte Arbeit. Der „Schwöpe" (Pferdeknecht) und der Mitknecht oder, falls ein solcher nicht vorhanden war, der Bauer selbst mußten auf dem Felde aufladen („tostiäken"). Die Großmagd und die Kleinmagd legten die Garben auf dem Wagen zurecht („upleggen"), und zwar die Großmagd stets vorn auf dem Wagen und die Kleinmagd hinten. Der Pferdejunge fuhr die vollen Fuder ins Haus. Der Schulte langte im Hause die Garben vom Wagen zur Bodenluke („affstiäken"), wo der erste Heuermann sie „annehmen" mußte. Der letzte Heuermann bzw. dessen Frau oder Magd legte die Garben auf dem Boden in Reihe und Glied, „int Fack leggen". Die anderen Heuerleute mußten die Garben von dem Annehmer weiterwerfen bis zu dem Packer. War der Boden sehr lang, mußte auch die Küchenmagd, und wenn ganz hinten gepackt wurde, auch wohl noch die Frau helfen, die Garben weiterzuwerfen. Für das „int Fack leggen" gab es ein Schwarzbrot, deshalb wechselten auf einigen Höfen jedes Jahr die Heuerleute mit der Arbeit. Dabei ging es dann genau der Reihe nach, und jeder kam im folgenden Jahre eine Stelle weiter nach vorn auf den Boden.

Bei der Kornernte gebrauchte man nur zweizinkige Forken, und zwar zum „Tostiäken" mittelgroße, zum „Afstiäken" nur eine ganz kleine. Die Forke des Annehmers war so weit, daß die „Afstiäkeforke" hindurchgleiten konnte, auch waren die Zinken gebogen, damit die Garben nicht so leicht abgleiten konnten.

Auf dem ersten Wagen fuhr der Schwöpenknecht alle, die auf dem Felde helfen mußten, vom Hofe. Die Fahrt ging stets im Trab. Gefahren wurde mit der Leine, nicht vom Pferde aus. Die Mägde hatten dafür zu sorgen, daß die Seile und Forken auf dem Wagen waren. Eine Viertelstunde nachher fuhr der Pferdejunge mit dem zweiten Wagen ab. Sobald das Aufladen begann, mußten die Mägde die Seile,

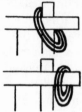

Hinter dem Pflock

Vor dem Pflock

die während der Fahrt hinter einem Pflock der „Ringsen" hingen, davor hängen, damit dieselben nachher leicht herabgenommen werden konnten. Vergaßen die Mägde dies, so hatten sie als Strafe Schnaps zu zahlen. Auf diese Strafe wurde zwar immer hingewiesen, auf ihre Bezahlung aber nie gedrungen. Der „Biesbaum" wurde entweder hinter die Räder gelegt oder am Seil nachgeschleift, damit man ihn nachher nicht so weit zu tragen brauchte. Ließ einer der „Tostiäker" aus Versehen seine Forke mit der Garbe auf den Wagen ziehen, so hatte er ebenfalls eine Strafe, die natürlich in Schnaps bestand, zu zahlen.

Die Mädchen auf dem Wagen bestimmten, wann das Fuder voll genug war, nur angebrochene halbe Stiegen hatten sie dann noch anzunehmen. Das „Upleggen" der Garben geschah in der Weise, daß je eine Garbe rechts und links mit den Köpfen nach innen gelegt wurde und dann in der Mitte eine dritte Garbe als Zusammenhalt darüber kam. Hierbei fing man vorn und hinten auf dem Wagen an, so daß die beiden Aufleger in der Mitte des Wagens zusammenstießen. So kamen mehrere Lagen übereinander. Mit der letzten Lage wurde zugelegt („toleggen"), d. h. diese Reihe kam nur in Garbenlänge in der Mitte darüber.

Die „Tostiäker" hatten den Mägden zu sagen, ob die Fuder auch gerade aufgetürmt wurden und nicht zu stark nach einer Seite lagen, sonst konnte das Unglück eintreten, daß das Fuder allmählich so schief wurde, daß es unterwegs gestützt werden mußte („anhaulen") oder gar umfiel. Das rief natürlich große Heiterkeit bei den Leuten im Hause hervor.

Die Garben wurden oben mit dem „Biesbaum" festgebunden, den der Schwöpenknecht auf den Wagen heben mußte. Zuerst wurde vorn gebunden. Damit der Baum nachher festlag, mußten die Mägde das Hinterteil des Baumes hochheben. Der Kleinknecht warf vorn über den ausgekerbten Kopf das Seil, und der „Schwöpe" band. Diese Kerbe sollte das Abrutschen des Seiles verhindern. Darauf kamen die drei Kommandos: „Legget! Teet! Drücket!" Der Kleinknecht half den Mädchen, den Baum zurückzuziehen, indem er mit der Forke vorn nachschob. Hinten warf der „Schwöpe" das Seil doppelt über den Baum. Der Kleinknecht legte es um den Pflock der Leiter an der anderen Seite. Beide zogen dann mit vereinten Kräften das Seil straff. Es wurde nur zweimal gezogen, das erste Mal nur etwas, das zweite Mal tüchtig. Die Großmagd mußte das Seil festhalten, damit der Schwöpe binden konnte. Darauf hieß es: „Affkuomen!", und die Mägde rutschten ohne jede Hilfe von dem hohen Fuder herunter.

Während sonst der Pferdejunge mit dem Fuder nach Hause fuhr und die Knechte und Mägde ein neues Fuder aufluden, war mit dem ersten Fuder Korn noch eine besondere Sitte verbunden. Sobald das erste Fuder Korn auf dem Felde aufgeladen war, gab es ein großes Wettrennen zwischen dem Schwöpenknecht und der Großmagd um den Mittsommerkranz. Die Großmagd durfte sofort vom Felde aus fortlaufen und in dem Augenblick, wenn der Wagen ins Haus kam, den Kranz von der Decke nehmen, während der Knecht bei dem Wagen bleiben mußte, bis er auf dem Hofe war. Sobald das Hoftor passiert war, lief der Knecht, um der

Magd den Kranz streitig zu machen. Um der Magd ja keinen Vorsprung zu lassen, fuhr der Wagen, so weit es möglich war, scharfen Trab. Gelangten nun Knecht und Magd zu gleicher Zeit an, so gab es oft einen heftigen Streit. Bekam die Magd rechtzeitig den Kranz, so durfte sie ihn behalten und für das nächste Jahr aufheben, errang ihn aber der Knecht, so kam er mit auf den Boden in das Roggenfach, und die Magd mußte dem Schwöpenknecht ein „Büxenlaken" (Stoff zu einer blauen Hose) geben. Auf die Bezahlung dieser Strafe wurde streng gedrungen.

Im Hause band der Schulte den „Biesbaum" vorn los, der Annehmer hinten. Dieser hatte auch den Baum hinten vom Wagen zu ziehen. Aus den ersten Garben der Ernte legte man drei Kreuze auf den Boden. Blieb dem Schulten die Forke in der Garbe stecken, so daß dieselbe mit auf den Boden kam, mußte er ½ Liter Branntwein bezahlen. Der Pferdejunge durfte mit dem neuen Fuder nicht eher auf den Hof fahren, bis der andere Wagen leer aus dem Hause war; achtete er nicht auf diese Vorschrift, so wurde etwas von dem Wagen, ein Seil etwa, versteckt, und er mußte lange suchen oder gute Worte geben, bis er es wiederbekam.

Mit dem letzten Fuder Korn waren keine besonderen Gebräuche verbunden. Auch ein Erntefest gab es nicht.

Nach der Ernte zog der Schäfer mit seiner Herde über die Felder. Er durfte auf jedem Lande hüten, auf dem kein „Strauwip" stand. Durch einen Strohwisch gekennzeichnetes Land durfte er nicht behüten. In Anlehnung an diese Sitte stellten die Bauern vor dem 1. Weltkriege auf bestellte Felder Strohwische, wenn Manöver in der Gegend waren.

Wo Grundstücke von zwei Höfen aneinandestießen, durfte, falls nichts anderes ausgemacht war, das Handpferd nicht über das fremde Grundstück gehen. Deshalb ließ man von beiden Seiten die letzte „Fuhr" (Furche) stehen „Eine Stellwand stehen lassen" nannte man das. Wer das nicht wollte, mußte die letzte Furche graben.

2. Das Dreschen

Während man noch vor einigen Jahrzehnten vereinzelt den Dreschflegel klappern hörte, ist er in den meisten Bauernhäusern jetzt gänzlich verschwunden. Die Arbeit, die heute mit der Dreschmaschine in ein oder zwei Tagen erledigt ist, nahm früher den ganzen Winter in Anspruch. Tag für Tag wurde frühmorgens mit nüchternem Magen zwei bis drei Stunden gedroschen. Mit dem Dreschen begann man auf Gesmolder Markt, um den15. September. Gedroschen wurde des Morgens vor der ersten Mahlzeit oder auch wohl den ganzen Vormittag oder gar den ganzen Tag. Das Dreschen vor dem „Immet" nannte man „Uchtedasken" (Uchte = Dämmerung).

Wenn man meint, im Winter hätten die Landleute ausschlafen können, ist man im Irrtum. Jeden Morgen begann man um 5 Uhr mit der Arbeit. Viele Bauern in Oesede waren aber besorgt, es könnte zu spät angefangen werden. Deshalb stellten sie die Uhr eine Stunde vor, und man begann nach richtiger Zeit schon um 4 Uhr. In Hagen fing man stets um 4 Uhr an.

Jeden Morgen mußten vor dem Immet fünf bis sechs „Döske" fertiggemacht werden. Eine „Döske" war eine Lage Garben über die ganze Diele. Je nach deren Größe waren es 40 oder mehr Garben. Manchmal wurden nur drei Lagen gedroschen. Dann ging es an die Arbeiten beim Vieh. Das nannte man dann „halwe Uchtedasken". Wurde ein ganzer Tag zum Dreschen angesetzt, so wurden je nach Größe der Diele 18 bis 24 Lagen, die etwa 2 bis 3 Fuder ausmachten, fertig gemacht.

Zum vorschriftsmäßigen Dreschen gehörten sechs Drescher und noch eine Person zum Umwenden. Sofort nach dem Aufstehen stieg der Schulte auf den Boden (Balken) und warf die Garben herunter, und zwar gleich für drei „Döske". Die Garben, die man im ersten Druschgang nicht gebrauchte, packte man an der Seite auf. Der Schwöpenknecht und die Großmagd legten je eine Reihe auf die Diele. Die beiden Reihen wurden so gelegt, daß die Ähren der rechten Reihe auf den Ähren der linken Reihe lagen. Der dritte Knecht und die Kleinmagd banden die Garben los („loskriegen") und reichten sie den Anlegern. Der letzte Drescher, meist ein Heuermann, mußte die Garben zulangen. Als „Wender" kam meist ein großer Schuljunge oder die „Moormagd" in Frage. Schuljungen von etwa 10 Jahren an mußten schon beim Dreschen helfen. Der Bauer selbst nahm ganz selten einen Dreschflegel in die Hand, wohl aber übernahm er manchmal das Umwenden. Jeder Drescher hatte seinen eigenen Flegel und hing ihn auch stets auf einen bestimmten Pflock.

Die sechs Drescher standen sich immer paarweise gegenüber. Das erste Paar bildeten der Schulte und der Schwöpe. Nun konnte aber beim Dreschen nicht jeder nach Belieben zuschlagen, sondern es ging stets genau im Takt. Der Schulte führte den ersten Schlag auf das Kopfende der ersten Garbe aus, der Schwöpe den zweiten auf dieselbe Garbe, und dann folgten der Reihe nach die andern. Dieser 6/6-Takt mußte stets beibehalten werden. Nach jedem Schlag trat der Drescher einen Schritt vor, so daß der nächste Schlag die folgende Garbe traf. Waren die Drescher am Ende der Lage angekommen, so wurde nicht aufgehört, sondern ohne Pause nahm jeder schnell seinen Flegel anders in die Hand und sofort ging es wieder zurück. So ging es fünfmal ohne Unterbrechung auf und ab. Dann war die Lage fertig. Beim letzten Durchgang schlug man nicht auf die in der Mitte liegenden Ähren, sondern auf das Hinterende der Garben. „Umtodasken" nannte man den Gang.

Während die Drescher auf und ab droschen, hatte der Umwender die Garben umzulegen bzw. umzudrehen. Kamen ihm hierbei die Drescher entgegen, so trat er zur Seite, damit keine Unterbrechung eintrat. Zuerst drehte er die Garben der oberen (rechten) Reihe um, so daß jetzt die untere Seite der rechten Garben nach oben kam. Danach hob er die Köpfe der linken Garben hoch und legte sie über die Köpfe der rechten Reihe. Zuletzt drehte er die Garben dieser Reihe um. War kein besonderer Umwender da, so trat der mittelste Drescher nach dem ersten Umgange aus und hob die Köpfe der linken Reihe über die Köpfe der rechten Reihe. Zum Umwenden der Garben hörten dann alle nach dem dritten Durchgang (halwe Döske) auf und halfen ihm dabei. In Hagen wurde aber stets nach dem vierten Durchgang umgewendet, und jede Lage erhielt acht Durchgänge für die Ähren und noch einen neunten für das Hinterende.

Auf den Dreschtakt gab es allerhand Verse. So lautete ein Reim: „O Bartho" bei drei, „o Bartholo" bei vier, „o Bartholomä" bei fünf und „o Bartholomäus" bei sechs Dreschern. „Bartholomäus" hieß es wohl deshalb, weil an manchen Orten am Tage des heiligen Bartholomäus der erste Dreschtag war. Bei einem andern Reim hieß es: „Wif schlau" (2 Drescher), „Pund Kaffee" (3), „half Pund Kaffee" (4), „verdel Pund Kaffee" (5), und „dreiverdel Pund Kaffee" (6).

Sobald eine „Döske" fertig war, ergriffen der Schulte und der Schwöpe Gaffeln, und jeder schüttete eine Reihe Garben aus. Nachdem sie mehrere Garben etwas geschüttelt hatten und dadurch das lose Korn herausgefallen war, hielten sie das Bund hoch. Die andern Drescher hatten unterdessen ein Strohseil gedreht, und einer schlang schnell ein Seil um das Bund. Während er noch das Bund in den Armen hielt, gab der Schulte oder der Schwöpe noch drei Schlag mit der Gaffel auf das Ährenende, damit die letzten Körner herausfielen. Nun trat der Binder zur Seite, um das Strohseil festzubinden. Ein solches Strohbund hieß aber nicht mehr Garbe, sondern „Schauf". Die Bunde wurden zur Seite gelegt und erst am Ende des ganzen Morgendrusches weggepackt.

Immer nach zwei oder drei „Dösken" wurde das herausgefallene Korn zur Seite geschafft. Zuerst harkte man mit der Schleppharke, einer 1 ½ bis 2 m breiten Harke, das abgefallene Stroh fort. Dasselbe kam beim nächsten Drusch an das untere Ende der Lage und wurde nochmals gedroschen. Dann schob man das Korn mit der Schleppharke zur Seite. Abgefegt wurde die Diele erst nach dem letzten Drusch am Morgen.

Da früher die Häuser ein Strohdach oder doch ein Ziegeldach mit Strohdichtung („Docken") hatten, mußte öfters auch Dachstroh zurückgelegt werden. Da dasselbe ganz glatt sein mußte, wurde es nicht mit der Gaffel, sondern mit der Hand aufgenommen und dann ausgeharkt. Diese Bunde wurden auch stets mit zwei Seilen gebunden, damit das Stroh glatt blieb.

Bei der letzten „Döske" am Morgen zeigte man der Hausfrau an, daß der Tisch gedeckt werden mußte. Bei dem letzten Durchgang nahm man einen andern Takt. Statt des

6/6-Taktes schlugen die drei ersten und die drei letzten Drescher zusammen. Man nannte dies den „Bummschlag". Um 7 Uhr mußte die Diele wieder rein sein. Nun erst gab es die erste Mahlzeit, die nach solcher Arbeit sicher gut schmeckte.

Nach der Mahlzeit hatten der Schulte und die Großmagd das Korn mit dem Windfeger zu reinigen. Dieser Name war auf dem Lande aber ganz unbekannt. Man nannte den Windfeger einfach „Kornmühle" oder „Wannemühle". In älterer Zeit wurde das Korn mit der Wanne gereinigt. In die Wanne kamen einige Schaufeln Korn. Durch einen kräftigen Schwung warf man das Korn hoch und fing es mit der Wanne wieder auf. Der dabei entstehende Luftzug trieb einen Teil der Spreu fort. Das wurde nochmals wiederholt. Natürlich wurde das Korn so nur mangelhaft gereinigt. Diese Arbeit verrichtete der Bauer selbst oder der Großknecht. Für das Volk war es natürlich, die Maschine, die diese Arbeit später übernahm, auch nach dem bisherigen Handwerkszeug zu benennen, eben Wannemühle.

Das Saatkorn wurde durch „Worpen" noch besser gereinigt. Mit einer kurzstieligen Schaufel warf man das Korn auf einem größeren Boden in gleichmäßigem Bogenschwung fort. Das gute, schwere Korn flog weiter weg, während alle Spreu und minderwertige Körner vorn liegenblieben. Es kam dabei darauf an, daß es stets mit gleichmäßiger Kraft fortgeworfen wurde. Auch diese Arbeit nahm meist der Bauer selbst vor.

3. Spinnen und Weben

Die Bearbeitung des Flachses ist größtenteils im Kapitel „Dienstboten" besprochen. Hier seien noch einige Gebräuche erwähnt. Beim Eindeichen des Flachses machte man zuletzt 3 Kreuze darüber. Kinder mußten etwa von 10 Jahren an nach der Schulzeit spinnen. Für sie war ein bestimmtes Maß nicht vorgeschrieben. An den Spinnabenden, die bis etwa 1870 bestanden, kamen nur die Mädchen der nächsten Höfe zusammen. Von den Knechten nahmen nur die des Hofes, auf dem die Gesellschaft sich gerade versammelte, gegebenenfalls teil. Die Spinnabende waren zweimal in der Woche. Die Mädchen des Hofes hatten das Licht zu stellen.

Wenn man das Garn von dem „Schirrahmen" abnahm, wickelte man es in Hagen zu einem großen Knäuel auf, in Oesede zog man es in Schleifen zusammen. Konnte man es nicht sofort auf den Webstuhl ziehen, so legte man es in den Backtrog. Zur Vorsicht kam aber ein Beil oder etwas „Scharfes" daneben, dann konnten die Hexen nicht daran und es „vertüddern". Wurde bei den Schleifen etwas verwickelt, mußte die Frau drei Kreuze darüber machen, dann waren die Hexen machtlos.

Das Aufziehen auf den Webstuhl mußte schnell gehen. Sooft man anhalten mußte, weil sich das Garn in der Kammlade verwickelt hatte, so viel Sonntage blieb das Garn auf dem Webstuhl.

Das Besprechen der Bleiche ist bei den Heilmitteln besprochen.

An den Spinnabenden wurde natürlich gesungen. Als erstes kam das Spinnerlied in Frage.

„Der Spinnerwein ist hell und klar, kluck, kluck,
    kluck, kluck,

Sein Alter ist sechstausend Jahr, kluck, kluck, kluck,
    kluck,

Man trank ihn schon im Paradies, kluck, kluck, kluck,
    kluck,

- - - - - - -"

(Die weiteren Verse sind nicht bekannt.)

Beliebt war auch der mehrstimmige Kanon :

a) in Engeland, in Engeland,

b) do bummelt de Glocken,

c) bumm, bamm, bumm, bamm, bumm, bamm.

Ganz besondere Aufmerksamkeit erforderte das sog. „Halwortsled". Die erste Person sagte einen kurzen Satz, jede folgende hatte das Vorhergehende zu wiederholen und etwas hinzuzufügen. Wer darin steckenblieb, hatte ein kleines Geldopfer zu geben. Zuletzt kamen dann Sätze wie folgender Zungenbrecher zustande, den 10 Personen geformt hatten: „Hier ist das alte Weib, das der Teufel regiert, dem der Hund gehört, der die Katze verjagt, die die Maus gefressen, die da immer geknibbelt und geknabbelt an dem Schloß an der Tür des Hauses des hölzernen Mannes."

4. Große Wäsche

In alter Zeit konnte man mit Recht von der „großen" Wäsche reden. Es wurde durchweg nur zweimal im Jahre, höchstens viermal gewaschen. Dann gab es selbstverständlich einen richtigen Berg Wäsche. Die Waschtage waren immer kurz vor dem Dienstbotenwechsel zum 1. Mai und zu Allerheiligen. Abgehende Dienstboten mußten Schnaps ausgeben, sonst wurde ihre Wäsche nicht mitgewaschen. Wenn wir die seltenen Waschtage bedenken, können wir es verstehen, daß alle Wäsche mindestens zu 2 bis 3 Dutzend vorhanden sein mußte. Man wechselte allerdings auch die Wäsche nicht so oft wie heute.

An der großen Wäsche nahmen alle Mägde und auch die Heuerleute teil. Die Waschart war ganz anders als heutzutage. Waschmaschinen, Reibbretter und dergleichen waren noch nicht bekannt. Auch Seife wurde nicht gebraucht. Dafür nahm man Holzasche. Die Wäsche wurde schon mehrere Tage vorher zum Einweichen in einem großen Faß, dem „Bükefatt", eingeweicht. Dabei kam immer zwischen zwei Lagen Zeug eine Lage Holzasche. Ein solches „Bükefatt" kam auch manchmal mit auf den Brautwagen.

Am Waschtage selbst ließ man das Wasser ab und goß wieder kochendes Wasser auf die Wäsche in dem Faß. Nach einiger Zeit ließ man das Wasser wieder ablaufen und goß dann wieder kochendes Wasser darauf, dieses wiederholte man mehrere Male, bis der größte Schmutz schon mit abgeflossen war. Nun kam die Wäsche in die Mulde („Molen"). Ein Junge oder eine der Mägde mußten die Wäsche mit den Füßen treten, und zuletzt wurde alles mit der Hand nachgewaschen. Nachher wurde die ganze Wäsche auf einem Wagen zum Bach gefahren und dort gespült und mit einem großen Holzhammer („Böker") geklopft. Ohne ausgewrungen zu werden, wurde die Wäsche zum Trocknen aufgehängt bzw. auf den Grasbrink gelegt. Die trockene Wäsche wurde nur zusammengelegt, gebügelt wurden nur die besten Schürzen.

Bei der großen Wäsche kam auch in alle Betten neues Stroh als Unterlage.

D. Das Essen

Die heute ziemlich allgemein verbreitete Ansicht, daß der Bauer gut ißt, trifft für die Vergangenheit nicht zu. Vor etwa 80 Jahren gab es nur an wenigen Tagen der Woche zum Mittagessen Fleisch. Die Schinken wurden durchweg „zu Gelde gemacht". Oft verkaufte man auch die Schweine geschlachtet und behielt dann Kopf, Füße und Eingeweide, um Leber- oder Blutwurst herzustellen. Auch die heute allgemein üblichen fünf, manchmal sogar sechs Mahlzeiten kannte man nicht. Nur drei Mahlzeiten waren in alter Zeit gebräuchlich, und wenn wir dann noch hören, was es gab, können wir wirklich nicht mehr von Üppigkeit reden.

Jeden Morgen wurde zwei oder drei Stunden nüchtern gearbeitet. Die erste Mahlzeit, „dat Immet" (= Imbiß, Frühstück), gab es zwischen sieben und acht Uhr. Sie bestand stets aus warmer Milch oder „Süppken". Als Milch wurde nur Magermilch verwandt. „Süppken" ist eine Milchmehlsuppe. Jeder bekam einen Napf voll und konnte nachfordern. Dazu nahm jeder soviel trocken Brot, wie er wollte. Das Brot wurde in die Milch gebrockt. Als Brot kam aber nur Schwarzbrot, einfach „Braut" genannt, in Frage. In alter Zeit wurde Weißbrot („Stuten") nur zu hohen Festen gebacken. Seit etwa 50 bis 60 Jahren kam allmählich Weißbrot auf. Da gab es neben Schwarzbrot noch sogenannten Zwieback (getrocknetes Weißbrot) zum Einbrocken. Aber auch nun kam zum Immet nie Butter oder Belag auf den Tisch.

Ein Frühstück („Fröhstück") kannte man früher nicht. Deshalb steckten die Dienstboten sich wohl beim Immet ein Stück Brot in die Tasche. Das wurde dann in einer Arbeitspause ohne Butter und Belag und ohne Kaffee verzehrt.

Punkt 12 Uhr hörte die Arbeit auf dem Felde und im Hause auf, und sobald alle zur Stelle waren, begann die Mahlzeit. Man aß bei uns Tag für Tag nur Eintopfgerichte, die dünn gekocht waren („Gemös"). Beim Mittagessen hatte aber nicht jeder seine Schüssel, sondern alle löffelten aus zwei oder drei großen Schüsseln, die mitten auf dem Tische standen, so daß immer etwa vier Personen aus einer Schüssel langen mußten. Die Großmagd hatte den großen „Gemöspott" neben sich auf der Bank oder auf dem unteren Ende des Tisches stehen und füllte die leeren Schüsseln. Das Fleisch wurde vorher von der Hausfrau in Portionen geteilt und kam auf einem Pfannkuchenteller auf den Tisch. Jeder nahm seinen Teil. Wer mittags etwas erübrigte, erhielt das Stück zum Abendessen. Waren alle gesättigt, kamen die Speisereste aus den Schüsseln wieder in den Topf. Stets wurde mittags soviel gekocht, daß noch genug für das Abendessen übrigblieb. Als Nachspeise gab es vielfach Mager- oder Buttermilch („Karremiälke"). Auch diese Nachspeise wurde in große Schüsseln gefüllt.

Als Eßgeräte dienten durchweg nur Holzlöffel. Das Fleisch nahm man in die Hand und biß von dem ganzen Stück ab. Gabeln waren äußerst selten. Fleisch zerschneiden nahm angeblich den besten Genuß, und deshalb tat es keiner. Nach dem Essen reinigte jeder seinen Holzlöffel mit der Zunge, wischte ihn dann noch am Tischtuch etwas ab und bewahrte ihn selbst auf. Zu diesem Zweck war an dem Seitenbrett des Tisches oder an der Wand hinter dem Tische ein Lederstreifen angenagelt, dahin steckte man ihn. Nur der Großknecht verwahrte seinen Löffel mit dem Brotmesser hinter einem Lederstreifen an der Innenseite des Brotschrankes.

Nur im Sommer gab es nachmittags gegen 4 Uhr eine Mahlzeit, „Vesper" genannt. Dann erhielt jeder nur Kaffee und Brot, manchmal mit Butter, aber niemals mit Belag. Vereinzelt backte die Bäuerin in der Ernte auch wohl Pfannkuchen. „Wenn dat Ellernblatt is os 'n Grössen graut, dann giff et None und Vesperbraut", und „St. Bartholomäus is 'n bäusen Mann, nimmp None und Vesperbraut", sagte der Volksmund. Nach einer Notiz des Klosters Oesede war es bis um 1800 auch in der Ernte nicht üblich, nachmittags eine Mahlzeit zu geben. Erst um diese Zeit kam dieser Brauch allmählich auf.

Im Sommer wurde bis 8 Uhr, im Winter bis 7 Uhr gearbeitet. Im Anschluß daran gab es das Abendbrot („Aumtiäten"). Auch das war stets gleich: zuerst das übriggebliebene Gemüsegericht vom Mittag und nachher eine Milchsuppe. Die Milchsuppe bekam jeder in einer Schüssel. Dazu konnte sich jeder wiederum soviel Schwarzbrot nehmen, wie er wollte.

In einem Bericht von 1802 wird die Verpflegung der Dienstboten im Kloster Oesede beschrieben. Die Mahlzeiten bei den Bauern waren sicher ganz ähnlich. Die Dienstboten der Bauern, die dem Kloster Hand- oder Spanndienste leisten mußten, erhielten im Kloster morgens ein Pfund Brot, ein Lot (etwa 45 g) Butter und Milchsuppe. Mittags gab es Gemüse, eine Portion Fleisch, ein Pfund Brot und ein Lot Butter, und abends wieder Gemüse, ein Pfund Brot und ein Lot Butter. Fleisch gab es nur dienstags und donnerstags, an allen anderen Tagen dafür Butter. Die eigenen Dienstboten des Klosters erhielten zum Abendbrot stets Warmbier.

Bei der Ernte gab es morgens noch ein Glas Branntwein, eine Portion Käse oder Weißbrot und eine Kanne Bier dazu. Dann erhielt jeder auch ein Vesperbrot, bestehend aus einem Stück Weißbrot mit Butter belegt, und eine Kanne Bier. Freitags und sonnabends kam zu Mittag statt des Fleisches eine Portion Pfannkuchen oder Käse und Milchsuppe dazu. Beim Mähen des Grases fiel das Vesperbrot fort.

Gegessen wurde im Sommer und Winter an dem großen eichenen Tisch unter dem „Unnerschlag" in der großen Küche. Bei den Hauptmahlzeiten kam stets ein weißes, selbstgewebtes Leinentuch auf den Tisch. Jeden Sonntag wurde ein reines Tischtuch aufgelegt. An der Wand hinter dem Tische war ein kleines „Hahl" (drehbarer Wandarm) für die Öllampe. Über dieses Lampenhahl hängte man nach dem Essen das Tischtuch. Der große Tisch stand entlang der Seitenwand der Küche, die hier mehrere Fenster hatte. Hinter dem Tische war an der Wand eine feste Bank. An der andern Längsseite befand sich eine lose Bank ohne Lehne. Am Kopfende des Tisches hatte der Brotschrank seinen Platz, der nicht auf der Erde stand, sondern bankhoch angebracht war. Vor dem Brotschrank stand eine feste Bank. Hier am oberen Ende des Tisches saß stets der Bauer selbst. An der Wandseite nahmen der Großknecht (am Brotschrank), der Kleinknecht, größere Jungen, Heuerleute und als letzter stets der Schäfer Platz. An die vordere Längsseite setzte sich die Bäuerin, neben ihr die kleineren Kinder, die größeren Mädchen, die kleine Magd und immer als letzte die Großmagd, die den Topf neben sich stehen hatte. Der große Kochtopf hieß auch „Spisepott". War ein „Rundlieger" auf dem Hofe, so war sein Platz am unteren Ende des Tisches nach dem Schäfer.

Rundlieger waren arme Leute, die abwechselnd bei den Bauern verpflegt wurden. Nachdem ein Rundlieger eine bestimmte Zeit bei einem Bauern gewesen war, kam er zum nächsten. Die Dauer richtete sich nach „Erbesgerechtigkeit", jeder Vollerbe hatte ihn acht Tage, jeder Halberbe vier, jeder Erbkötter zwei und jeder Markkötter einen Tag zu verpflegen.

Vor und nach den drei Hauptmahlzeiten, Immet, Mittag und Abendessen, wurde laut gebetet. Vor dem Essen mußte die Großmagd, nach der Mahlzeit die kleine Magd vorbeten. Mittags und abends wurde mit dem Tischgebet vor der Mahlzeit der „Engel des Herrn" gebetet. Das Zeichen zum Beten gab der Großknecht, indem er mit dem Brotmesser auf den Tisch klopfte.

Der Großknecht hatte das Brot zu schneiden, eine Kunst und eine sehr schwere Arbeit. Ein Brot wog 30 Pfund und besaß etwa die Größe von 20 x 30 x 40 cm Es war der Ehrgeiz eines jeden Großknechtes, ganz gleichmäßige und sehr dünne Scheiben zu schneiden. Die Scheiben durften nur etwa 3 bis 4 mm dick sein, dann waren sie gut. Dabei eine Schnitte über den ganzen Brotlaib von 30 cm zu schneiden, ist wahrlich nicht so leicht. Für jede dickere oder verunglückte Schnitte wurde er gehänselt. Bevor man ein neues Brot anschnitt, segnete man es, indem man mit der Spitze des Brotmessers ein kleines Kreuz auf das Brot ritzte.

Weißbrot schnitt die Bäuerin, das war keine Arbeit für Männer. Der obere Brotkanten hieß „Lachkösken", der untere aber „Grinekösken" (Weinstückchen). Ehe man nicht Brot schneiden konnte, durfte man nicht heiraten, hieß es immer.

Wer am Eßtisch an den Seiten keinen Platz mehr fand und an einer Tischecke sitzen mußte, durfte in sieben Jahren noch nicht heiraten.

Es mögen nun einige der gebräuchlichsten Gerichte der bäuerlichen Küche folgen. Leider waren meine Gewährsmänner und ich nicht in der Kocherei bewandert.

Kaffee ist eigentlich eine Errungenschaft der neueren Zeit. Früher gab es ihn nur zu festlichen Begebenheiten. Bis vor etwa 100 Jahren war selbstgebrautes Bier das gewöhnliche Getränk. Die Bereitung kannte aber keiner der alten Männer mehr. Auf einigen Bauernhöfen waren vor einigen Jahrzehnten aber die großen Bierbottiche noch vorhanden.

Sehr oft gab es anstelle der Milchsuppe das „Warmbier". Dazu kamen Buttermilch, Mehl, Brot, und zwar hauptsächlich Brotkrusten, in den Topf. Meist goß man noch etwas Milch und oft auch ein wenig Sirup dazu. Nahm man gute Milch (Vollmilch), so zeigten sich weiße Streifen in der sonst grauen Masse. Diese Streifen wurden „Wittfötken" genannt. Die ganze Mischung wurde dann gekocht. Sie schmeckte etwas säuerlich. Nach einem Bericht von 1803 über das Essen der Dienstpflichtigen im Kloster-Oesede gab es zum Abendbrot stets Warmbier. Ja, ein kleiner Bach, der von der Anhöhe bei der Hohen Linde kommt, hieß früher „des Klosters Warmbierbach". Bereits vor 1700 wird berichtet, daß der Bauer Suttmeyer in Hillebränders Haus zu Riemsloh morgens das Warmbier zu kochen hatte, wenn die Hörigen des Klosters dort Korn abholten.

„Beestmiälke" hieß die erste nach dem Kalben gewonnene Milch. Man machte daraus eine Art Käse. Die Nachbarn brachten sich gegenseitig Beestmilch.

Im Sommer machte man oft „Stippmilch". „Dicke Milch" wurde erhitzt, wobei sie gerann („schrött"). Dann goß man das Wasser ab und gab wieder Vollmilch dazu.

Ein Gericht für besondere Tage war „Stutensoppen". In Würfel geschnittenes Weißbrot oder sogenannter Zwieback wurde mit Fett- oder Fleischbrühe übergossen.

Aus großen Bohnen wurden „Oelbohnen "gemacht. Nachdem die Bohnen in Wasser abgekocht waren, kam über die abgegossenen Bohnen Rüböl. Zu Oelbohnen gab es stets Kaffee und Schwarzbrot.

Oft waren für bestimmte Arbeiten oder Tage auch bestimmte Gerichte vorgeschrieben.

Die Mäher in der Wiese bekamen zum Immet Pfannkuchen, der in Speck gebacken sein mußte. Jeder Mäher bekam ½ Pfannkuchen, und in jedem Drittel mußte ein Speckstück sein. Der Speck durfte nicht in kleine Würfel zerschnitten werden.

Beim „Repen" (Abreißen der Früchte) des Flachses und stellenweise nach dem Mähen der Gerste gab es zum Immet Oelbohnen.

Bis vor etwa 50 Jahren wurde in jedem Bauernhause und meist auch noch in den Heuerhäusern selbstgebacken. Jeder Bauer hatte ein Nebengebäude, das in dem unteren Raum oft als Tischlerwerkstätte, im oberen Raum aber als Kornboden diente. Speicher hießen diese durchweg zweistökkigen Gebäude. An den Speicher war der Backofen angebaut, so daß sich die Öffnung im Speicher befand. Nach dem 30jährigen Kriege und auch noch um 1700 gab es im ganzen Kirchspiel Oesede keinen Bäcker.

Gebacken wurde etwa alle Monate, wenn das Brot zur Neige ging. Der Schwarzbrotteig wurde am Abend vorher gesäuert („süren"). Nachdem man etwa 2 – 3 Zentner Mehl in den Backtrog geschüttet hatte, goß man drei Eimer heißes Wasser dazu. Das Wasser bedeckte man mit Mehl und ließ alles bis zum andern Tag stehen. Da der Teig zum kneten mit den Händen zu steif war, mußte ein Junge ihn mit den Füßen treten (Deeg trian). Die großen viereckigen Brote von etwa 25 - 30 Pfund blieben 24 Stunden im Backofen, nachdem die Tür des Backofens mit Lehm verschmiert war.

In neuerer Zeit, vor etwa 80 Jahren, wurde auch schon Weißbrot (Stuten) gebacken. Durchweg backte man etwa 50 Stuten von je 8 – 10 Pfund. Davon legte man die Hälfte weg zum Gebrauch, die andere Hälfte schnitt man mitten durch und ließ sie mehrere Tage in dem noch warmen Backofen austrocknen zu „Zwieback", auch „Knawweln" genannt. Man aß diesen in Milch eingebrockt.

Bevor das Brot in den Ofen kam, probierte man, ob der Ofen auch nicht zu heiß sei. Zu diesem Zweck steckte man eine ausgedroschene Ähre an den Brotschieber und hielt sie solange in den Ofen, bis man ein Vaterunser gebetet hatte.

Die Ähre mußte dann braun sein. War sie angebrannt, so war der Ofen noch zu heiß.

Im Herbst fiel an den Backtagen auch etwas für die Kinder ab. Es gab dann „Appelstuten". Äpfel wurden mit einer Schicht Teig überzogen und dann mit den Stuten im Backofen gebacken. Von der Hitze wurden die Äpfel gebraten, und ihr Saft durchdrang die Teigschicht. Vor 70 und mehr Jahren waren das für die Kinder die begehrtesten Leckerbissen.

Die Gemeinschaft

1. Die Dienstboten („De Densten")

Wie fast alles im Leben der Landbevölkerung, war auch jede Angelegenheit des Gesindes durch Sitte und Brauch genau geregelt. Auf einem größeren Hofe waren an Dienstboten vorhanden: der Schulte, auch Großknecht genannt, der „Schwöpe", der die Arbeiten mit den Pferden verrichtete, und der Pferdejunge, an Mägden „de graude Maged" (Großmagd), „de lüttke Maged" (Kleinmagd), und die „Moormaged" (Muttermagd), auch „Kökenpüngel" (Küchenmädchen) genannt. Großmagd war nicht immer die älteste, sondern durchweg die, die am längsten auf dem Hofe diente. Die Wichtigkeit der Großmagd zeigt der Spruch:

> Graude Maged heet ik.
> Vorren uppen Berre schlaup ik.
> Olles wat do geet un waget (läuft),
> is forre grauden Maged.

Waren erwachsene Söhne oder Töchter auf dem Hofe, so traten sie an die Stelle der Dienstboten. Sie gingen auch meist für kürzere oder längere Zeit auf anderen Höfen in Dienst.

Jeden Dienstboten mußte man vor Antritt seiner Stelle mieten, „mähen". Der gegenseitige Dienstvertrag lief stets bis zum ersten Mai oder zum ersten November. Abgesehen von seltenen Ausnahmen konnte nur an diesen Tagen ein neuer Dienst angetreten oder eine alte Stelle aufgegeben werden. Gute Knechte und Mägde waren stets gesucht und wurden deshalb meist schon ½ Jahr vor Antritt des Dienstes und auch noch früher gemietet. Auch die Dienstboten, die auf dem Hofe verbleiben wollten, mußten halbjährlich wieder gemietet werden. Durchweg fragte dann der Brotherr bei der Auszahlung des Lohnes, ob der Knecht oder die Magd nach Ablauf des nächsten halben Jahres noch dableiben wolle. Unterließ er die Frage, so war das eine stillschweigende Kündigung.

Zur Bekräftigung des Vertrages erhielt der Dienstbote ein Handgeld, den sogenannten „Winnkup" (Winnkauf), der auch früher schon stets einen Reichstaler ausmachte. Die heute vielfach übliche Übersetzung des Wortes „Winnkup" in Weinkauf ist falsch, denn bereits vor 300 bis 400 Jahren und noch früher nannte man das zur Bekräftigung eines Vertrages gegebene Handgeld Winne. Winnkauf hängt also mit unserm heutigen Worte „gewinnen" zusammen. Während es in den letzten Jahrzehnten vor dem ersten Weltkriege üblich war, einen Taler Winngeld zu geben und ihn nicht auf den Lohn anzurechnen, wurde in alter Zeit auch die Höhe des Winnkaufes für jeden Fall besonders festgesetzt. Vor etwa 100 Jahren gab es durchweg etwa einen Taler Winnkauf und etwa 3 bis 5 Taler Lohn für ½ Jahr. Über den Antritt einer neuen Stelle ist in dem Brauch zum ersten Mai berichtet.

An Werkzeugen hatten die Mägde ein Spinnrad und einen Haspel, der Schulte (Großknecht) ein „Schautfell" (weiß gegerbtes Kalbfell; Schaut = Schoß) zum Brotschneiden und der Pferdeknecht („Schwöpe") eine Peitsche mitzubringen. Letzterer hatte deshalb auch eine verlorene oder zerbrochene Peitsche selbst zu ersetzen. Der eintretende Dienstbote brachte sofort seine Holzschuhe und seinen Werktagsanzug in ein Taschentuch geknotet mit.

Jeder Dienstbote erhielt von der Herrschaft die wichtigsten Werkzeuge, „de Reschup", für dauernd zugewiesen, so besonders einen Flegel, eine Schaufel, eine Sense und eine Harke. Durch die Zuweisung bestimmter Werkzeuge wurde jeder ermutigt, sein Werkzeug gut im Stande zu halten. Jedem Dienstboten wurde auch für die einzelnen Werkzeuge ein bestimmter Aufbewahrungsort zugewiesen. Als wichtigstes Werkzeug nahm jeder einen eigenen Holzlöffel in Empfang. Wenn jemand sein Handwerkzeug bei der Arbeit fallen ließ, so sagte man: „De Daglaun ist henne" (Der Taglohn ist hin).

Bei der ersten größeren Arbeit, meist beim Grasmähen oder bei der Ernte, wurde der neu eingetretene Dienstbote „eingeschrieben". Er hatte dann ½ Liter Branntwein zu geben. Damit war die Einschreibung vollzogen. Ebenso mußte er sich vor Verlassen des Dienstes bei der letzten

Erntearbeit und bei der letzten Wäsche ausschreiben lassen. Spendete er bei der Wäsche keinen Schnaps, so blieb sein Zeug ungewaschen. Wegen der Seltenheit der Waschtage mußte jeder Dienstbote mindestens zwei Dutzend Hemde besitzen, um seine Unterkleidung wechseln zu können.

Neben dem Barlohn erhielt das Gesinde auch einen Teil Flachs; in älterer Zeit nach Übereinkunft jeder einzelne oft ein ganzes Scheffelsaat, später aber nur noch ein halbes und in den letzten Jahrzehnten vor dem Kriege nur noch ein Viertelsaat. Dabei ist aber zu beachten, daß ein Viertelsaat Flachs nur 1/8 des üblichen Scheffelsaates Korn ausmacht. Das hat seinen Grund. Ein Scheffelsaat ist ein Grundstück, das so groß ist, daß zur Aussaat darauf gerade ein Scheffel Korn genügt. Ein Scheffel ist ein altes Hohlmaß, mit dem früher das Korn gemessen wurde. Ein Wiegen der Früchte war früher nicht bekannt. Flachs wird nun dichter gesät als Roggen. Mit einem Scheffel Flachssamen konnte man deshalb nur halb so viel Land besäen wie mit einem Scheffel Korn. Darum heißt es in alten Akten bis etwa 1600 bei Angaben von Grundstückgrößen immer: x Scheffelsaat Leinsaat oder x Scheffelsaat Roggensaat. Diese alte unterschiedliche Bezeichnung hat sich durch die Jahrhunderte beim Flachs erhalten. Neu eingetretene Dienstboten mußten den Flachssamen mitbringen. Da aber bei der Bearbeitung des Flachses der Bauer den Samen („de Knotten") behielt, mußte er im folgenden Jahre die Aussaat stellen. Auch die Heuerleute ließen sich oft bei ihren Bauern Flachs säen; dann lieferten sie aber die Aussaat.

Das Flachsfeld wurde für jede Magd und jeden Knecht sofort bei der Aussaat abgegrenzt. Die einzelnen Abteilungen wurden durch Bohnen oder Hafer getrennt. Seinen Flachs hatte eigentlich jeder Dienstbote selbst von Unkraut reinzuhalten, meist wurde er aber mit dem Anteil der Herrschaft gejätet. Der Flachs des Gesindes wurde bis zum „Braken" (Brechen) mitbearbeitet, die weiteren Arbeiten hatte jeder in den freien Stunden selbst vorzunehmen. Für die jüngeren Knechte und Mägde übernahmen meist die Eltern die weitere Arbeit. Für die Bearbeitung bis zum „Braken" hatte der Dienstbote „einen auszugeben". Beim Aufziehen des Flachses machte man den Mädchen Puppen aus Flachs in die Bündel. Man sagte, soviel Puppen ein

Mädchen im Flachs hatte, soviel Kinder würde es bekommen.

Überall, wo mehrere zusammen arbeiteten, wurde stets folgende Reihenfolge beachtet: Am rechten Flügel die Großmagd, dann die zweite Magd, hierauf die Frauen bzw. Mägde der Heuerleute – ebenfalls nach einer ganz bestimmten Reihenfolge – und zuletzt die Tagelöhnerinnen. Ebenso war die Ordnung bei den Männern: Schulte, Schwöpe, Kleinknecht, Heuerleute. Zuletzt kam, falls er mitarbeitete, der Bauer selbst.

Bei der Verteilung der einzelnen Arbeiten wurden einige Arbeiten nur Männern, andere nur Frauen zugeteilt. Außerdem hatten die einzelnen Dienstboten ganz bestimmte Pflichten. Grundsätzlich halfen im Gegensatz zur heutigen Zeit die Knechte weder im Haushalt noch in der Viehwirtschaft. Nur die Pferde versorgte der Schwöpe. Außerdem mußten die Knechte die Ställe ausmisten und für Wasser sorgen. Für die Kühe holte der Schulte das Wasser. War keine Leitung von der Pumpe zu dem großen „Pferdekumm" auf der Diele vorhanden, so mußte er das Wasser dorthin tragen. Er gab aber den Kühen selbst kein Wasser, das war Sache der Mägde. Am Samstagabend hatte er das Wasser für Sonntagmorgen zu besorgen. Sonntagnachmittag gegen sechs Uhr mußte das Wasser für die Abendfütterung gepumpt werden, und zwar hatte der Schwöpe es für die Pferde und der Großknecht für die Kühe zu besorgen.

Der Schwöpe schlief in der None vor den Pferden und schüttete ihnen von Zeit zu Zeit etwas Futter nach. Jeden Morgen schnitt er auch mit der Schneidelade Häcksel für die Pferde, während der Pferdejunge die Pferde putzte. Im Winter schnitt er aber das Häcksel erst mittags, während die Pferde fraßen. Im Sommer mähten der Schulte und der Schwöpe vor dem „Immet" (erstes Frühstück) Klee, der Junge kam dann mit dem Wagen nach. Waren nur zwei Knechte vorhanden, mähte der Schulte allein, und der Schwöpe brachte den Wagen nach. Zeitweise mußte der Schulte vor dem „Immet" auch Flachs schwingen oder Laub harken. Die Arbeit der Mägde war so verteilt, daß die Großmagd für die Küche sorgen mußte und die zweite Magd für die Schweine. Für die Versorgung der Kühe mit

Wasser war meist ein kleiner Wagen mit einem Faß vorhanden. Mit dem Wagen fuhr man vor den Ställen her und gab den Kühen daraus zu saufen. Im Winter kam in das Faß heißes Wasser mit „Knotten" (Flachssamen), Spreu, Schalen, einigen gekochten und zerstoßenen Steckrüben und anderes. Sonst wurden die Kühe im Winter in der Hauptsache nur mit Stroh gefüttert. Heu hatten die Bauern durchweg nur soviel, daß es für die Pferde reichte. Melken mußten stets beide Mägde, nur in der Ernte besorgte es die Frau selbst. Auch im Winter hatten die Mägde neben dem Spinnen ihre Vieharbeiten zu besorgen. Die Milch wurde durchgeseiht und dann in flachen Schalen in der Milchkammer aufgestellt. Diese Arbeit nahm stets die Frau selbst vor.

Die Großmagd hatte außerdem die Diele zu fegen und die Betten der Knechte und des Bauern zu machen. Die anderen Betten machte die zweite Magd. Nach dem Essen wusch die Großmagd das Geschirr, während die zweite Magd das Geschirr herbeiholte und den Topf reinigte. Zur Arbeit der Großmagd gehörte auch das Weben. Die zweite Magd kam nur gegen Ende des Winters, wenn sie für sich selbst weben wollte und wenn gröberes Leinen gewebt wurde, an den Webstuhl. Jeden Abend hatte die Großmagd das Feuer auf dem Herde mit Asche zu bedecken („toraken"), damit am andern Morgen noch Glut vorhanden war.

Die Aussaat besorgte immer der Schulte. Zuerst säte er mit dem Korn drei Kreuze auf das Feld. Beim Säen des Flachses sollte der Schulte eine neue Hose oder doch wenigstens eine reine Hose anhaben, sonst würde später nach dem Volksglauben viel Unkraut wuchern. Stand nachher viel Unkraut in dem Flachs, so hieß es: „De Wichter hätt de Büchsen nich önik wasket."

Bei vielen Arbeiten war auch das Maß für die einzelnen Personen genau vorgeschrieben. So mußte jeder am Nachmittag zwei Scheffelsaat Korn mähen, während bei der Gerste ein Scheffelsaat vor dem „Immet" vorgeschrieben war. Im Winter waren vor dem „Immet" sechs Lagen („Döske") auszudreschen. Beim Weben hatte die Großmagd täglich vier „Stücke" (jedes etwa 2,00 m) fertigzustellen. Beim „Braken" (Brechen des Flachses) mußte jede

Person „32 Stiege Rissen" (also 32 x 20 Handvoll, Risse =
Handvoll Flachs) fertigmachen.

Das gesamte Gesinde, Mägde und auch Knechte, spann
im Winter. Alle hatten dieselbe Menge zu liefern und zwar
bei Flachs täglich zwei Stücke, jedes zu 32 Bind, wogegen
bei Hede (zweite Sorte Flachs) nur zwei Stücke zu je 24
Bind fertig sein mußten. Bei Hede wurde auch ein kleinerer
Haspel genommen. Beim Flachs spann man zu gleicher Zeit
zwei Fäden („mit zwei Pluchten"), bei Hede aber nur einen.
Wer sein Soll nicht erfüllt hatte, mußte nach Feierabend
weiterspinnen. Sobald ein Dienstbote seine beiden Stücke
fertig hatte, konnte er seinen eigenen Flachs spinnen. Die
Mägde konnten ihr Garn bei ihrem Dienstherrn auch weben. Sie bekamen dafür am Tage freie Zeit. Für die Knechte
wurde nicht gewebt. Da man früher sehr sparsam war,
mußte um 10 Uhr alles zu Bett sein. Stellenweise mußten
die Dienstboten, die nach 10 Uhr noch spinnen wollten,
selbst das Licht bezahlen.

In jedem Hause backte man früher das Brot auch selbst.
Das Backen besorgten der Bauer und der Schulte. Da der
zähe Teig des Schwarzbrotes nicht mit den Händen gründlich durchgeknetet werden konnte, mußte der Pferdejunge
mit bloßen Füßen den Teig treten.

Die Hausreinigung war in der Woche sehr einfach. Haar-
besen, Handfeger, Staub- und Wischtücher waren noch
unbekannte Dinge. Samstags war gründliche Reinigung,
das Haus wurde wirklich gründlich gescheuert, mit Wasser
nicht gespart. Tische und Bänke wurden mit Sand abge-
scheuert. Nach der Reinigung streute man feinen Sand oder
auch wohl Stroh in die Stube, damit sie sauber blieb. In der
Woche wurde nur mit dem großen Reisigbesen ausgefegt.
Zum Sonntag hatte der Schulte stets einen neuen Besen
aufzustielen. Unterließ er das, so banden die Mägde seine
Hose an den Stiel und fegten damit die Diele. Sonntags vor
dem Hochamte fegte der Pferdeknecht den unteren Teil der
Diele, die Großmagd den oberen Teil. Manchmal war die
Teilung auch so, daß der Knecht die Hälfte vor den Pferde-
ställen, die Magd vor den Kühen zu fegen hatte.

Sonntagnachmittags hatten die Mägde nie ganz frei. Sie
mußten wie sonst ihre Arbeit bei dem Vieh besorgen. Wollte

eine ihre Eltern besuchen, so nahm sie besonderen Urlaub. Die Knechte hatten frei, nur mußten sie zur bestimmten Zeit die Pferde füttern. In der Freizeit vor und nach der Abendarbeit kamen die Dienstboten vielfach auf einem Hof zu Scherz und Tanz zusammen. Oft wurde dazu auch Schnaps geholt, den alle gemeinsam bezahlten („tohaupe schmiten").

Selbstverständlich gab es für die Dienstboten auch besondere Feiertage. Fastnacht und an den Markttagen hatten alle Dienstboten nachmittags frei. Diese freie Zeit wurde fast nur für eigene Arbeiten benutzt. Nur selten machten sie an diesen Tagen Besuche. Den Herbstmarkt benutzten sie, um ihren Flachs zu brechen („braken").

Daneben hatten die Dienstboten, da sie ganz zur Familie gehörten, Anteil an allen Festtagen des Hauses. An diesen Tagen bekamen sie meist ein kleines Geschenk. Heiratete eine junge Frau ins Haus, so erhielten zur Hochzeit die Mägde ein Kleid, die Knechte eine gute Hose. Bei der Geburt eines Kindes mußte der Schulte die Hebamme holen und erhielt dafür eine blaue Hose. Den Mägden wurde dann eine Schürze geschenkt. Starb der Bauer oder die Bäuerin, so bekamen die Mägde eine Schürze oder auch wohl ein schwarzes Kleid. Zur Kirmes empfing jeder Dienstbote ein Geldgeschenk, meist 50 Pfg., in neuerer Zeit 1 bis 3 Mark. Weihnachten bekamen sie für etwa einen Taler, in früherer Zeit aber für weniger Geld Geschenke, durchweg Leinwand („Laken"), die Großmagd aber einen Bettbezug („Berrebüren").

Bei jedem Viehverkauf stand dem Dienstboten, der das betreffende Vieh versorgte, ein Trinkgeld zu. Beim Verkauf einer Kuh erhielt die Großmagd 50 Pfg., ebenso die zweite Magd beim Verkauf eines fetten Schweines, während bei Ferkeln nur ein geringes Trinkgeld abfiel. Wurde ein Pferd verkauft, so stand dem Schwöpen ein Taler Halftergeld zu. Letzterer nahm auch stets Trinkgeld ein, wenn er bei den Heuerleuten oder sonstwo mit Pferden arbeitete. Zur Ernte gab es für die Mägde eine Schürze, auch wohl ein Baumwollkleid.

In der Kirche hatte durchweg jeder Dienstbote seinen bestimmten Platz.

Die None (Mittagsruhe) begann am 1. Mai und dauerte bis Bartholomäus (24. August). „Wenn dat Ellernblatt is os en Grössen graut, dann giff et None und Vesperbraut". „Balmeiwe is n' bäusen Kärl, nimp Noneschlaup und Vesperbraut". Die None währte bis 2 Uhr. Die Mägde mußten nach dem Essen aber noch das Geschirr waschen.

2. Die Nachbarn

Welch ein Unterschied zwischen Stadt und Land im Verhältnis der Menschen zueinander besteht, ist offenkundig. In der Stadt wohnen 4, 8, ja 10 und mehr Familien in einem Hause. Sie kennen sich - vielleicht. Auf der Treppe ein flüchtiger Gruß, vielleicht auch das noch nicht. Ein Verkehr der Familien untereinander ist selten. An den Familienereignissen der Mitbewohner geht man meist achtlos vorüber, erfährt oft nicht einmal etwas davon. Ganz anders auf dem Lande. Jeder hat sein eigenes Haus, und doch kennen sich alle, keiner geht grußlos an dem andern vorbei, die ganze Familiengeschichte ist den meisten Gemeindeeinwohnern bekannt, und alle nehmen an dem Familiengeschehen Anteil. Und früher war das alles noch viel stärker der Fall. Heiratete früher ein Bauer, starb einer, baute jemand ein Haus, so war das ein Ereignis, woran die ganze Gemeinde, wenigstens alle Bauern, teilnahmen. Ganz besonders eng hielt man stets mit den Nachbarn zusammen.

Nach uraltem Brauch bildeten vier Höfe, in anderen Gemeinden auch wohl fünf oder sechs, seltener drei, eine Nachbarschaft („Nauberschup"). Diese Nachbarschaft konnte nicht gewählt werden, sie haftete an dem Hofe. Bekam ein Hof einen neuen Besitzer, so trat dieser in die alte Nachbarschaft des Hofes ein. Diese Nachbarhöfe hatten sich in allen Dingen zu helfen, sie bildeten eine größere Familie. Die Nachbarschaft verband so eng, daß bei Hochzeiten, Beerdigungen und anderen Anlässen die Nachbarn sofort nach den Geschwistern kamen, also vor den Onkeln, Tanten, Vettern und der sonstigen Verwandtschaft.

Die Pflichten und Rechte der Nachbarn sind meist schon bei den Hochzeits- und anderen Gebräuchen angeführt. Sie sollen hier zur Übersicht noch einmal zusammengefaßt werden.

War auf einem Bauernhofe Hochzeit, so kamen am letzten Sonntage vorher die Nachbarn, um die Aussteuer zu besichtigen. Die Mägde der Nachbarn banden Kränze für die Haustür, für die Pferde des Brautwagens. Deshalb nannte man die Nachbarn auch wohl „Kranznauber". Am Tage vor der Hochzeit nahmen die Nachbarn mit am Brautwagenfahren teil, sie stellten Pferde und Wagen und nahmen auch persönlich daran teil. Der 1. Nachbar vertrat auf dem Hofe der Braut den Vater des Bräutigams. Er ging ins Brauthaus, damit die Pforte geöffnet wurde, er schenkte dem Brautvater ein und erhielt dafür einen Taler. Die Nachbarfrauen trugen das Brautbett zum Wagen, luden es später wieder ab und machten am Hochzeitsmorgen das Brautbett fertig. Ja, der Brautvater zahlte dem 1. Nachbarn sogar die Mitgift aus. Die Frau des 1. Nachbarn führte die Braut zum Wagen. Der 1. Nachbar saß mit dem Bräutigam auf der Brautkiste, er hatte die Flasche bei sich und löste die Weiterfahrt ein, wenn die Wagen unterwegs durch „Schatten" aufgehalten wurden.

Zur Hochzeit brachten die Nachbarn je ein Huhn zum Hochzeitshause und nach Bedarf Milch und Eier. Am Hochzeitstage gingen die Gäste nach der Begrüßung zunächst zum Hause des 1. Nachbarn, dort fand der 1. Ehrentanz der Braut statt und überhaupt der Tanz bis zum Essen. An der Tafel saßen die Nachbarn sofort nach den Geschwistern. Die Nachbarn machten auch dem neuen Paare den ersten Besuch. Sie kamen bereits am 1. Sonntag nach der Hochzeit. Den Besuch nannte man „Nauberschup haulen".

War ein Kind geboren, so wurde den Nachbarn das freudige Ereignis sofort offiziell mitgeteilt, die Nachbarfrauen besuchten die Wöchnerin. Selbstverständlich war der Nachbar auch oft Pate, meist der 2. oder der 3., da man drei Paten nahm. Wenn man in alten Kirchenbüchern mehrere Familien mit gleichem Namen hat, kann man bei den Taufen aus den Paten oft feststellen, ob ein Bauer oder ein Heuermann oder Handwerker mit gleichem Namen gemeint ist. Bei der Kindtauffeier kochten die Nachbarfrauen.

War in einem Bauernhause jemand gestorben, so erhielten die Nachbarn sogleich Nachricht. Sie kamen auch sofort zum Trauerhause. Die Nachbarfrauen wuschen den Toten, bekleideten ihn mit dem Totenhemd und legten ihn auch in den Sarg. Deshalb hießen die Nachbarn auch wohl „Klänauber", d. h. Auskleidenachbar. Der 1. Nachbar bestellte das Geläut und den Zimmermann, er besorgte den Totenschein. Die Nachbarn luden die Verwandten und Bekannten zur Beerdigung ein. Sie sagten auch die „Bursprache" an, durch die die Gemeindemitglieder zur Totenwache und zur Beerdigung eingeladen wurden.

Da es nicht üblich war, daß Leute aus einem Trauerhause Feldarbeiten verrichteten, besorgten solche nötigen Arbeiten, etwa Einfahren der Ernte oder dergleichen, unaufgefordert die Nachbarn. Die Nachbarn wachten in der letzten Nacht bei dem Toten. Der Nachbar trug die Kerzen zur Kirche, die 1. Nachbarfrau hatte sofort, nachdem die Leiche das Haus verlassen hatte, das Licht auszulöschen und die Dielentür zu schließen.

Die Nachbarn brachten zum Leichenschmaus Milch und Butter. Die Frauen der Nachbarn hatten am Begräbnistage die Küche zu verwalten, die ankommenden, weiter weg wohnenden Beerdigungsteilnehmer mit Kaffee, Zwieback und „Müffken" zu bewirten und das große Essen herzurichten.

Auch an einem Hausbau und besonders an der Haushebung nahmen die ganze Gemeinde und besonders die Nachbarn Anteil. Abgebrannte erhielten von jedem Bauern ein oder zwei Eichenstämme geschenkt. Auch sonst war es durchweg Brauch, zum Bau eines Wohnhauses ein oder zwei Stämme zu schenken, aber nicht so kleine Stämme wie jetzt, sondern dicke Bäume. Jeder Bauer stellte zur Haushebung einen Knecht. An dem Eishaken brachte der ein Geschenk seines Bauern mit, einen Scheffel Roggen. Die Mägde der Nachbarn brachten ein Huhn, auch Butter, Eier und Milch und eine Wegge. Die Mägde der Nachbarn schmückten zur Hebung den „Puppenstaken". Beim 1. Nachbar wurde der Puppenstock gesucht, er mußte den Leuten einschenken. Die Zimmerknechte gingen mit dem Baum auch zu den anderen Nachbarn, und sie erhielten überall ein Glas eingeschenkt. Zum „Kleidag" (Bewerfen der Wände mit Lehm) stellten die Nachbarn einen Knecht. Alle Hilfe war unentgeltlich.

Beim Einzug in das neue Haus kamen die Nachbarn unaufgefordert mit Holz, um das Feuer anzufachen.

Ging in einem Hause das Herdfeuer aus, so wurde es in einem Holzschuh vom Nachbarn geholt. Das Feuer durfte nicht verweigert werden, deshalb sprach man auch keinen Dank dafür aus. Nachbarpflicht war es auch, Knechte zur Hilfe zu schicken, wenn eine Kuh aufgehoben werden mußte.

Die nachbarlichen Pflichten wurden sehr strenggenommen. Bei uns wurde jede Verletzung der Pflichten sogar im Brüchtengericht (Gericht für kleine Vergehen, die mit Geld gebüßt wurden) bestraft.

Aber auch außer dem Angeführten konnte man immer wieder sehen, daß die Nachbarn eine große Familie bildeten, gegenseitig an Freud und Leid teilnahmen, sei es, daß man sonntags gemeinsam mit den Nachbarn die Felder besichtigte, gegenseitig Erfahrungen austauschte, sei es, daß man am Schlachttage auch dem Nachbar eine Wurst und ein Stück frisches Fleisch schickte, sei es, daß die Mägde an den Abenden zum Spinnen oder das junge Volk an Sonntagen zu einem kleinen Tanz auf der Diele oder zu Ostern zu einem Ballspiel zusammenkamen.

F. Das Haus und die Haushebung

Bevor wir das alte Bauernhaus betrachten, wollen wir zunächst einen Blick auf den Hof und die Nebengebäude werfen. Der Bauer unserer Heimat liebt viel Raum um sich, wenn es auch nicht so ist, wie man vielfach behauptet, daß der Bauer den nächsten Nachbarn am liebsten so weit von sich entfernt hat, daß er ihn gerade noch sehen kann.

Der Hof war stets sehr geräumig. Lag das Gehöft nicht direkt in einem geschlossenen Dorfe, so umfaßte der Hofraum wohl ½ ha und mehr. Er war stets mit einer Bruchsteinmauer eingefaßt. Der Stolz eines jeden Bauern waren die mächtigen Eichen auf dem Hofe. Der ganze Raum diente in früheren Jahren zugleich als Auslauf für Schweine, Gänse und Hühner, da man die Grasweide für Schweine noch nicht kannte. Darunter litt leider vielfach das Aussehen des Hofes sehr, denn er war sehr zerwühlt.

Durch eine breite Pforte („Porten" oder „Singel") betrat man den Hof. Das eigentliche Wohnhaus lag immer etwas weiter zurück. Die Hofmauer stieß von beiden Seiten an das Haus, so daß der Stallteil des Hauses im umfriedeten Raum lag, der Wohnteil aber aus ihm herausragte. Auf dem Wege zum Hause kam man an der Scheune vorbei, die zur Unterbringung der Wagen und Ackergeräte diente. Auf dem Dachboden der Scheune wurde meist auch ungedroschenes Korn oder Stroh aufbewahrt. Der Hauptlagerplatz dafür war aber der Boden des Wohnhauses. Manchmal war noch ein besonderer Schuppen für Wagen und Pflüge vorhanden, meist stammt derselbe aber aus neuerer Zeit.

Je nach der Lage des Hofraumes stand rechts oder links von dem Wohnhause in etwa 10 bis 20 Meter Entfernung ein kleines, durchweg zweistöckiges Gebäude, der Speicher („Spiker"). Daran angebaut war der Backofen und zwar so, daß die Öffnung des Ofens sich im Speicher befand. Der untere Teil des Speichers diente als Werkstatt für die Zimmerleute. In älterer Zeit wanderten die meisten Handwerker, wie Zimmermann, Schuster und Schneider, von Bauer

Giebel mit Vorkragungen und Backsteinornamenten
Hof Gretzmann in Sudenfeld

zu Bauer und verrichteten an Ort und Stelle ihre Arbeiten. Der Name Tischler oder Schreiner war nicht bekannt. Der Zimmermann verrichtete alle Holzarbeiten, seien es Bauarbeiten, sei es Herstellung von Möbeln oder Rädern. In einer Ecke des Speichers stand der große Backtrog und in der Mitte ein großer Tisch; der Raum wurde nämlich auch als Backstube benutzt. Im mittleren Stockwerk, als eigentli-

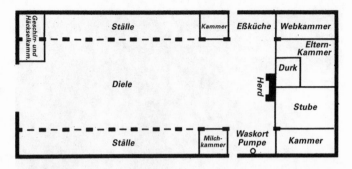

Grundriß

chem Speicherraum, lagerte das ausgedroschene Korn. Unter dem Dach wurden die kleineren Nutzholzvorräte aufbewahrt.

Das Wohnhaus kehrte stets das große Einfahrtstor, die „Niendür", der Hofpforte zu. Dieses große Tor besaß zwei Flügel, von denen einer in etwa 2 Meter Höhe durchteilt war. Der untere Teil dieses Flügels diente als gewöhnlicher Eingang auf die Diele. Die Dielentür war der eigentliche Eingang des Bauernhauses. Durch die Dielentür betrat die junge Frau das Haus, durch sie wurde der Täufling zur Kirche getragen, und durch sie trug man den Toten hinaus. Einzig die „Bursprauke" (Bauerschaftssprache) wurde durch den oberen Teil einer Seitentür ins Haus gerufen. Betrat man die große, geräumige Diele, so erblickte man an der einen Seite die Kuh-, ihnen gegenüber die Pferdeställe (siehe Zeichnung). An der Seite der Pferdeställe sprang direkt neben dem Einfahrtstor ein Raum etwas auf die Diele vor, die Geschirr- und Häckselkammer. Darüber befand sich die Schlafkammer der Knechte. Manchmal war die Knechtekammer auch unten, die Häckselkammer aber oben. Über den Ställen erstreckten sich nach vorn offene Nebenböden, die „Hielen". Sie begannen etwa in halber Dielenhöhe. Auf ihnen wurde die Spreu („dat Kaff") aufbewahrt. Gleich neben der Dielentür war ein Teil der „Hiele" als Hühnerstall („Hönerwiemen") abgeteilt. Da die Hühner freien Auslauf sowohl auf den Hof, als auch in die Scheune, auf die Diele und sogar auf den Heu- und Strohboden hatten, mußten die Eier im wahren Sinne des Wortes gesucht werden. Es war keine Seltenheit, wenn eine Henne

»Waskort« mit »Beckenbört«
Alter Hof Grimmelsmann (Gr. Honnebrink) in Sudenfeld

mit kleinen Küken ankam, ohne daß jemand etwas von ihrem Brüten bemerkt hatte.

Bevor man die quer zur Diele gelegene Küche betrat, sah man rechts und links als Abschluß der Ställe je ein Zimmer. Das eine war die Milchkammer („Molkenkammer"), das andere ein Schlafzimmer. Die große, quer durch das ganze Haus gehende Küche wurde im letzten Jahrhundert meist durch eine Wand von der Diele getrennt. In dem alten Niedersachsenhause war diese Scheidewand nicht vorhanden.

In der Küche befand sich an der einen Seite der Eßraum, der sofort an dem großen, eichenen Eßtisch erkennbar war. Gegenüber, und zwar stets an der Seite der Milchkammer, lag der „Waskort", die Waschküche. Hier stand die Pumpe, in der Wand befand sich unten „dat Wasklok" (der Ausguß) und an der Querwand das offene „Beckenbört" (Geschirr-bort), daneben eine Rolle mit dem langen, endlosen Handtuch (siehe Bild „Waskort").

In der Mitte der Küche war der Mittelpunkt des Bauernhauses, der offene Herd. Bis vor etwa 200 Jahren lag der
Herd in der Mitte des Raumes. Erst um diese Zeit kam der
Schornstein auf, und der Herd wurde an die Wand verlegt.
Bis dahin mußte der Rauch sich selbst einen Ausgang suchen. Der Herd war der Mittelpunkt des Hauses. Hier
ergriff der neue Bauer oder zur Zeit der Leibeigenschaft (bis
1833) auch der neue Gutsherr Besitz von dem Hause und
dem ganzen Hofe. Von 1581 und 1618 sind uns Berichte
über Besitzergreifung von Höfen durch das Kloster Oesede
überkommen. Hierbei nahm der neue Herr, nachdem das
Feuer gelöscht war, am Herd Platz. Nun wurden ihm ein
„kluiten erden" (Klumpen Erde), ein „schwig vann dem
boem" (ein Zweig vom Baum), das „Hoall" („Haul", Kesselhaken) und der „Rink vann dat doir" in die Hand gegeben. Dann wurde das Feuer neu entfacht, und damit war
die Besitzergreifung vollzogen. Nach einem Bericht von
1775 über die Besitznahme des Hofes Potthoff zu Oesede
wurden dem neuen Herrn noch ein Span aus dem Haus-
ständer überreicht und die große Dielentür geschlossen und
dann wieder geöffnet.

Am Herd wurden auch neue Familienmitglieder aufgenommen. Die Braut wurde von der Mutter des Bräutigams
ins Haus geholt, zum Herde geleitet, und hier erhielt sie den
Kochlöffel ausgehändigt.

Auch neuerworbene Tiere wurden zum Herde geführt
und damit in die Hausgemeinschaft aufgenommen. Noch
vor 70 bis 60 Jahren ritt der Bräutigam mit dem Brautpferde
erst zum Herd und führte es dann erst in den Stall. Tiere,
die zum Herde geführt werden, „möggen" (Heimweh beim
Vieh) sich nicht, meinten die alten Leute.

An dem offenen Herde kochte die Hausfrau für Menschen und auch für das Vieh. An einem langen, drehbaren
hölzernen Wandarm („Längehaul") hing an dem verstellba-
ren Kesselhaken, gewöhnlich einfach „Hahl", („Haul") genannt, der Kochtopf, aber auch der große kupferne Vieh-
kessel.

Abends versammelte sich die Familie um den Herd. Die
Knechte und Mägde spannen. Dabei wurden nicht nur die

Dorfneuigkeiten, sondern noch mehr Geschichten, je gruseliger, desto besser, erzählt.

Das Feuer auf dem Herde brannte Tag und Nacht. Die
Großmagd bedeckte jeden Abend die Glut mit Asche („toraken"). Damit keine Katzen oder andere Tiere einen Brand
verursachen konnten, stülpte man nachts einen großen
Blechkasten darüber. Sobald die Großmagd Anstalten
machte, das Feuer zu bedecken, begaben sich alle zur Ruhe,
denn wer sich das Feuer vor dem Fuße „zuraken" ließ, kam
nach der Volksmeinung in sieben Jahren nicht zur Heirat.

Am Morgen entfernte die Großmagd die Asche und blies
die Glut mit einem langen „Püster" (Pusterohr) wieder an.
War das Feuer aus, mußte sie in einem Holzschuh vom
Nachbar glühende Kohlen holen.

Über dem Herde führte der weite, unten offene Kamin
nach oben. Die eigentliche Kaminöffnung begann erst in
Höhe des Balkens (Boden). In dem mittleren Küchenraum
unterhalb des Balkens hingen Fleisch, Speck, Würste und
Schinken offen, für jeden Besucher sichtbar, im „Wiemen",
der Räucheranlage.

Der sich an die Küche anschließende Teil des Hauses
enthielt stets vier Zimmer, bei Heuerhäusern nur drei. Heuerhäuser waren nämlich kleiner, sonst aber genau wie die
Bauernhäuser angelegt. „Dat Ächterkämmer", auch Kammerfach genannt, hieß dieser Hausteil. An der einen Au-
ßenwand befand sich die Mädchenkammer, an der andern
Seite die Webkammer. Vielfach webte man aber auch in der
Stube, und dann wurde die Webkammer als Schlafzimmer
benutzt. In der Mitte des Kammerfaches lagen die Stube
und das Elternschlafzimmer. Die Eingänge zu diesen Räu-
men befanden sich rechts und links vom Herd. In dem
Elternschlafzimmer war in der Wand nach der Küche, direkt neben dem Herd, der große Schlafschrank eingebaut,
„Durk" (Duttich) genannt. Die Längswände des Schlaf-
schrankes hatten Schiebetüren. Öffnete nun der Bauer bzw.
die Bäuerin die Schiebetür nach der Küchenseite, so konnten sie die Küche und auch die ganze Diele übersehen.

Die Zimmer waren alle nicht sehr hoch. In den Türen
mußten größere Leute sich stets bücken. Heuerhäuser waren oft so niedrig, daß größere Leute sich nur gebückt darin

bewegen konnten. Von dem Küchenraum führten zwei Türen rechts und links nach draußen, die „Waskortsdür" und die „Sietendür". Auch diese Türen waren in halber Höhe durchgeteilt. Wenn das Wetter es erlaubte, standen die Oberteile offen. Keine Tür im Hause hatte ein Schloß. Nachts wurden sie durch Holzriegel gesichert.

Über den Zimmern im Kammerfach befand sich ein niedriger Boden („Büönen"), der Kornboden für ausgedroschenes Korn, aber auch Aufbewahrungsort für Flachs, Brot und anderes. Der ganze Dachraum, sowohl der über der Diele, als auch über der Küche und der über dem „Büönen", hieß „Balken". Er diente in seinem größeren Teil als Lagerraum für ungedroschenes Korn bzw. das Stroh, in seinem unteren Teil, nach der „Niendürn„ zu, zur Lagerung des Heues. In dem Fußboden des Dachbodens war über der Diele eine große Öffnung, „dat Balkenschlop". Bei großen Bauernhäusern waren zwei vorhanden. Durch diese Öffnung kam das Korn und Heu auf den Boden. Unter der Bodenluke wurde der Tote aufgebahrt.

Die alten Bauernhäuser haben vielfach ein beachtliches Alter erreicht. Von Unglücksfällen abgesehen, überdauerten sie viele Generationen. Noch jetzt gibt es eine ganze Reihe von Bauernhäusern, die bereits 150, ja sogar 200 Jahre ihren Bewohnern eine Heimstätte gewesen sind. Da ist es selbstverständlich, daß die Errichtung eines neuen Hauses ein Fest war, das einer Hochzeit nicht nachstand. Die Verwandten, die Nachbarn, die Bekannten, ja die ganze Bauerschaft nahmen daran teil. „Bürung" (von büren = heben), oder auch „Dönte" hieß die Haushebung.

Im Gegensatz zur heutigen Bauweise war das alte niedersächsische Bauernhaus in seinen Grundzügen ein Holzbau. Deshalb hatte auch nicht der Maurer, sondern der Zimmermann die Bauleitung. Nachdem die sehr niedrige Grundmauer und die Sockel der Ständer angelegt waren, wurden zu beiden Seiten der Diele riesige Ständer aufgestellt. Sie waren die Träger des ganzen Hauses. Die Außenwände wurden nur angesetzt, sie trugen weder die Balken noch das Dach. Zum Hausbau wurde grundsätzlich nur Eichenholz verwandt. Zu einem großen Bauernhause mußte manche starke Eiche gefällt werden. In der Zeit der Leibeigenschaft

(bis 1833) durfte kein Bauer Eichen ohne Erlaubnis seines
Gutsherrn fällen. Nach altem Recht, das aber von den
Beamten des Landesherrn (der Bischof von Osnabrück,
nach 1803 der König von Hannover) im letzten Jahrhundert
vor Aufhebung der Leibeigenschaft immer angefochten
wurde, hatte der Bauer, der ohne Erlaubnis des Gutsherrn
Eichen fällte, die gehauenen Bäume herauszugeben und für
jeden Stamm ½ Tonne Butter zu geben. In den letzten
Jahrhunderten war nur noch eine Geldstrafe üblich. Kein
Gutsherr konnte sich weigern, zum Hausbau das Fällen
einiger Eichen zu gestatten. Da der eigene Waldbesitz des
Hofes sehr gering war, erhielt der Bauer stets aus der gemeinsamen Mark einige Bäume. Auch nach der Aufhebung
der Leibeigenschaft, als der Bauer volle Freiheit über seinen
Wald hatte, war er selten imstande, das nötige Bauholz
selbst zu liefern. Da galt es als selbstverständlich, daß er,
besonders wenn das alte Haus abgebrannt war, einen Teil
von den andern Bauern geschenkt erhielt. Durchweg gab
jeder ein oder zwei Stämme.

Sägemühlen gab es früher nicht. Nur in Oesede hatte das
Kloster zu seinem Neubau 1723 eine angelegt. So mußte
alles Holz mit der Hand bearbeitet werden. Alle Balken und
Sparren wurden mit der Axt behauen. Nur wenn aus einem
Stamm mehrere Balken gewonnen werden sollten, bei den
Balken für das äußere Fachwerk und bei den dicken Bohlen,
die als Fußbodenbretter auf den Dachboden kamen, trat die
große Säge („Diälensage") in Arbeit. Nur zwei Männer
bedienten die Säge, wahrlich keine leichte Arbeit.

Der Baum wurde erst grob vierkantig behauen („beschlagen"). Damit die Flächen gerade wurden, wurde der Baum
vorher „geschnört": Mit einem angebrannten grünen Er-
lenholzstück schwärzte man eine Schnur und zog dann mit
ihr eine gerade Linie über den Baum. Der so vorbearbeitete
Baum kam dann auf das Sägegestell („Sagenstell"), ein etwa
zwei Meter hohes Gerüst. Das bestand aus vier Pfählen, die
oben gegabelt waren. Durch diese Gabeln kamen zwei
Querhölzer („Säumers"). Auf diese Querhölzer kam der zu
bearbeitende Baum. Das Sägegestell errichtete man meist
über einem Graben, einer Kuhle oder vereinzelt auch über
einer gemauerten Grube. Der eine Zimmerknecht (Sägenschneider, „Sagenschnier") stand nun auf dem Baum, der

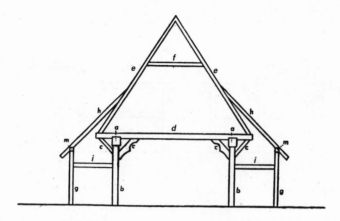

Querschnitt Diele

andere darunter. Die große Handsäge hatte sämtliche Zähne nur nach einer Seite, nach unten, stehen. Eine solche Säge ist im Museum zu Osnabrück zu sehen. Der untere Mann mußte sägen, der obere zog die Säge ohne Schnitt wieder nach oben. Beim Herunterziehen drückten beide Männer die Säge zum Schneiden scharf vor. Bei dem Bau eines großen Hauses konnten mehrere Paare manche Woche sägen, bis alles geschnitten war. So ist es kein Wunder, wenn in den alten Registern aus der Zeit nach dem Dreißigjährigen Kriege in jedem Dorfe ein ganze Reihe Zimmerknechte oder Sägenschneider verzeichnet sind. Die Arbeit wurde meist in Akkord vergeben. Damit der Schnitt gerade verlief, wurde der Baum auch hier, wie schon oben angegeben, „geschnört".

Das gesamte Fach-, Balken- und Sparrenwerk wurde zuerst auf der Erde zusammengefaßt und dann das ganze Haus an einem Tage aufgerichtet. Das Zusammensetzen auf der Erde nannte man „Upklössen", da alles auf 30 cm hohen Klötzen ruhte. Wie schon erwähnt, lag die ganze Last des alten niedersächsischen Hauses auf den großen Tragebalken („Stänner") der Diele, die Außenwände waren nur angesetzt. Darum waren diese Ständer und die Balken auch mindestens 20 x 30 cm, oft auch 30 x 50 cm dick.

Zuerst wurde der „Luchtstrang" (a, siehe Zeichnung, Lucht = oberes Stockwerk, vielleicht auch von lichten = aufheben) gelegt und die Dielenständer (b) mit einem Zap-

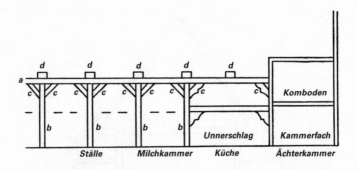

Längsschnitt

fen darin eingelassen. „Luchtstrang" und Ständer wurden
durch Strebebänder (c, „Wiembänder") sicher verbunden.
Die waren auf der Diele durch einfache Ausschweifungen,
im Küchenfach aber kunstvoller verziert. Auch mit den
Balken (d) waren die Ständer durch Strebebänder verbunden. Die Löcher („Tapplöcker") in den Balken und Ständern wurden mit der Hohlaxt („Holläxen"), die oben eine
schmale, querstehende, unten eine breite, langstehende
Schneide hatte, hineingehauen. Die Zapfen („Tappen") fertigte man mit dem Dexel („Desel"). Die eigentlichen Balken
(d) wurden nur etwas eingekerbt („inkämmen"), sonst
nicht befestigt. Die Sparren (e, „Sporstaken") wurden früher mit Zapfen etwa 10 cm vom Ende der Balken (d)
eingelassen, später setzte man sie direkt auf das Ende der
Balken und befestigte sie mit dem „Dobben", einem dicken
Holznagel. Bei der Hebung mußte scharf aufgepaßt werden, daß der „Dobben" schnell und sicher hineingeschlagen
wurde, sonst rutschte der schwere Sparren leicht ab. Deshalb standen dort immer sichere Leute. Daher kommt noch
der Ausdruck „uppen Dobben passen" für „scharf aufpassen". Das „Hahnenholt" (f) wurde durch Zapfen und
„Pinnstock" (Holznagel) mit dem Sparren verbunden. Der
allgemein gebräuchliche Ausdruck „Pinnplock" galt für die
Zimmerleute als schweres Schimpfwort und durfte nicht
gebraucht werden. Jeder Doppelsparren bekam eine
Schrägstütze, einen „Schweipen", und zwar der eine Sparren rechts, der andere links. Sie wurden mit „Schweipnä-
geln" (geschmiedete Nägel) angenagelt. Das Annageln oben
und unten geschah gleichzeitig. Der obere Zimmermann

hatte dabei einen Dexel, der untere eine Axt. Der obere tat immer zwei leichte Schläge, wenn der untere einen Schlag tat, also „bom - tick, tick". Auf Rhythmus wurde früher bei der Arbeit sehr geachtet (siehe auch Dreschen). Da die Balken (d) und damit auch die Sparren nicht bis an die Außenwände (g) reichten, wurde die oberste Platte es Seitenwerkes (m, „Spärplauten") durch „Upplängers" (h) mit den Sparren erbunden. Die Hauptständer (b) auf der Diele hießen „Diälstänner", die Ständer der Seitenwände (g) einfach „Stänner". Die Außenwände waren „durchgeriegelt", d. h. zwischen je zwei Ständern waren noch zwei Nebenständer (k) eingesetzt, ebenso war auch der Raum zwischen dem Grundbalken (n) und der „Spärplauten" (M) durch zwei Riegel wieder geteilt (o,p). Die Eckständer der Seitenwände waren durch ein „Windband" (l), auch Schrägstamm genannt, abgestützt. Die Ständer des Seitenwerkes verbanden dünnere Balken, „Striche" (i) genannt, mit den Hauptständern. Die Enden der Striche waren mit Zapfen in die Ständer eingelassen. Der Raum darüber war die „Hiele". Alle Dielenständer mit dem Luchtstrang hießen „dat Diälweig". Die Außenwände nannte man „Sietenweig". Den Raum von einem Dielenständer bis zum nächsten bezeichnete man als ein „Fach". Nach der Zahl dieser Fachwerke wurde die Größe des Hauses gerechnet. So heißt es in älteren Akten stets „ein Haus von x Fach". Große Bauernhäuser hatten 8 - 10 Fach, Heuerhäuser meist nur 3 - 5 Fach.

Zwei Abteilungen des Hauses müssen noch besonders betrachtet werden, das „Unnerschlag-" und das Kammerfach. Ersteres umfaßt den Küchenraum. Es war meist 2 – 3 mal so groß wie ein gewöhnliches Fach. Der „Unnerschlag" war die Verlängerung der Hiele, er lag aber durchweg 1-2 Fuß höher als diese. Wegen der Breite mußte dieses Fach eine Auflage für die Striche haben. Zu diesem Zwecke verband man die beiden Ständer an beiden Seiten des Faches in gut zwei Meter Höhe mit einem starken Balken, der mit Zapfen in die Ständer eingelassen wurde und reichverzierte „Wiembänder" besaß. Der Boden über dem „Unnerschlag" hieß nicht mehr „Hiele" sondern „Stichbüönen". Auf diesen beiden Seitenböden wurden meist die Flachsbearbeitungsgeräte, wie Spinnräder, Haspel, Webstuhl, Spulräder,

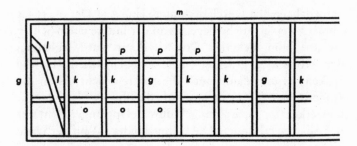

Seitenwand

Hechel, „Kronen" usw. und die „Knotten", die Früchte des Flachses, aufbewahrt.

Das letzte Fach war das Kammerfach. Seine Aufteilung ist schon besprochen worden. Die Scheidewand zwischen Kammerfach und Unnerschlag hieß „Brandweig". Da die Dielenhöhe knapp vier Meter betrug, die Zimmer im Kammerfach und der darüberliegende Kornboden aber zusammen etwas höher waren, lag der Dachboden hier etwa einen Meter höher als der übrige Dachbodenraum. „Uppsprung" nannte man diesen höherliegenden Teil.

Die Giebelwände waren zwei-, seltener dreimal vorgekragt, und zwar jedesmal um eine Balkendicke (siehe Bild „Giebel"). Diese vorspringenden Balken ruhten auf reichverzierten Konsolen. Der erste vorspringende Balken ist der „Giebelbalken". Er trägt stets eine Inschrift. Durchweg war es ein Bibelspruch. Daneben wurde darauf der Name des Erbauers und seiner Frau und das Datum des Richtfestes eingeschnitzt. Name und Datum wurden auch wohl in dem großen Abschlußbalken der „Niendür" eingetragen. Der Meister verewigte sich selbst in dem Rundbogen der Dielentür. Auch der zweite vorspringende Balken des Giebels war mit einer Inschrift versehen. Auf die Spitze des Giebels kam stets eine gedrehte Säule, der Geck („Gäck"). Es war die alte Donnersäule, die das Haus vor Blitzschlag schützen sollte. Pferdeköpfe oder Wetterhahn waren früher bei uns nicht gebräuchlich. Über jedem Giebelvorsprung wurden die Felder der Fachwerke kleiner; je höher, desto kleiner waren also die Felder.

Zu der eigentlichen Haushebung wurden sowohl die Gäste als auch die Bauhelfer („Bürlü") eingeladen. Die Einladung der Gäste besorgte immer der Koch, meist bestellte er auch die Bauhelfer. Zu dem Gange trug er einen gewöhnlichen Anzug ohne besondere Abzeichen, auch der bunte Stock des Hochzeitsbitters fehlte. Wurde die Haushebung groß gefeiert, so rechnete man auf die Verwandtschaft und die ganze Bauerschaft, zu kleineren Feiern wurden nur die Verwandten und die Nachbarn eingeladen. Als feststehende Einladungsformel galt für das Kirchspiel Oesede: „En schön Kumplement van N. N., he wör willens, sin Hus to büren, un ladet ju bestens doto in ton Tiären (zehren) un ton Büren." Letzteres wurde nur hinzugefügt, wenn der Bauer einen Helfer schicken sollte. Einen „Bürknecht" stellten ja nach der notwendigen Anzahl die Nachbarn und dann alle Bauern der Gemeinde. Wer einen Eisbaken („Boshaken") besaß, brachte ihn mit.

Am Abend vor der Hebung nahmen sechs Zimmerleute einen dicken Balken („Post"), setzten sich darauf und schlugen im Sechsertakt darauf. Zuletzt gingen sie in den Zweiertakt mit je drei Klopfern über. „Stockfiskboken" nannte man das. Hatten sie das „Boken" dreimal gemacht, mußte der Bauer mit der Flasche dasein.

Acht Tage vor der Hebung brachten die Zimmerleute eine Tanne zum ersten Nachbarn. Die Mägde der vier Nachbarn mußten diese mit bunten Bändern und Papierstreifen schmücken. Unten um den Baum kam ein Kranz und oben hinein eine Puppe. Deshalb hieß der Baum auch „Puppenstaken". An den Kranz war für jeden Zimmergesellen ein rotes Taschentuch und für den Meister ein Hemd geknotet. Der geschmückte Baum wurde meist versteckt oder verschlossen gehalten, da die Zimmerleute ihn zu stehlen versuchten.

Die Hebung begann schon früh, etwa um 8 Uhr. Bevor die Arbeit begann, forderte der Meister selbst alle auf: „Lot us en Vaterunser biän, dat wie kein Malhör krieget." Alle knieten nieder und beteten.

Angefangen wurde mit dem „Stichblock", dem „Unnerschlag-"-Fach. Erst wurden die Ständer (b) mit dem Luchtstrang (a) und die Balken (d) aufgerichtet. Wenn die Balken

lagen, kamen Bretter darüber. Bei dem weiten Abstand der
Balken (etwa 2,75 m) mußten die Bretter sehr dick sein; es
waren Bohlen von etwa 8 bis 10 cm Dicke. Angenagelt
wurden sie nicht. Beim Aufrichten des ersten Sparrens
setzte sich der Meisterknecht, so hieß der erste Vorarbeiter
des Zimmermeisters, in das Hahnenholz und ließ sich mit
hochheben. Derselbe mußte oben die Streben („Schweipen") an die Sparren nageln. Der Meister stand mit dem Lot
unten und sorgte dafür, daß die Sparren gerade standen. Bei
dem letzten Sparren band er eine Flasche an das Lot. Hierauf wurden die Seitenwände, und zwar Ständer für Ständer,
aufgerichtet.

Zuletzt kam der Giebel an die Reihe. Hierbei wurde
zunächst der untere Teil, das „Endeweig", zusammengesetzt und auf einmal aufgestellt. Der eigentliche Giebel, der
Teil über dem Balkenlager, wurde auf dem Dachboden
zusammengesetzt und dann als Ganzes auf einmal aufgerichtet. Das war die schwerste und gefährlichste Arbeit. Mit
Seilen und Eishaken wurde festgehalten und aufgerichtet.
Die Ecken band man sogar mit Ketten fest. An jedem Ende
standen zwei Männer mit Brechstangen, die aufpassen
mußten, daß die Zapfen an die Löcher glitten. Wenn der
Giebel stand, mußte noch der letzte Sparren am Giebel
aufgerichtet werden. Dabei kam die ganze Freude am ge-
lungenen Werk zum Ausdruck. Nun konnten alle Späße
und Scherze angebracht werden. Man konnte den Sparren
nicht heben, dann paßte alles nicht ineinander, und zuletzt
wollte und wollte er nicht gerade stehen. Immer wieder
mußte einer getrunken werden, um mehr Kraft zu erhalten,
um besser nachdenken zu können, um die Augen klar zu
bekommen, und schließlich noch, weil man den Sparren
doch noch hingekriegt hatte.

Bei der Hebung wurde überhaupt mit Schnaps nicht
gespart. Von Zeit zu Zeit wurde eingeschenkt, aber alle
mußten doch soweit nüchtern bleiben, daß der Giebel ohne
Unglück noch hoch kam. Zum Frühstück gab es keine
besondere Kost. Mittags kamen Stutensoppen aus Weggen,
Potthast und Kartoffeln mit Fleisch auf den Tisch. Nachmittags gab es keinen Kaffee, wohl aber belegte Butterbrote
und Schnaps.

Nach vollbrachter Arbeit kam die Freude zur Geltung, jetzt begann das Fest. Dazu brachten am Morgen die „Hönerwichter" der Nachbarn Hühner, Butter und Milch und die Großmägde je eine Wegge. Die „Bürknechte" hatten schon bei der Ankunft je einen Scheffel Roggen abgeliefert. Es war Sitte, den Sack an dem Eishaken auf dem Rücken zu tragen. In letzter Zeit gab man an Stelle von Roggen auch wohl einen Taler. In Borgloh war es üblich, daß die nächsten Verwandten einen Schinken mitbrachten. Dort gab der „Bürknecht" auch an Stelle des Roggens einen „falschen Schinken", einen halben Schweinekopf, ab.

Zur Feier wurde zuerst der Puppenstock geholt. Für jede Frage, jede Rede, jede Handlung hierbei erwartete man ein Glas Schnaps. So ging sogleich ein Raten an: Wo mag der Puppenstock sein? Man ging zuerst von Nachbar zu Nachbar, um festzustellen, wo er sein konnte. Den ersten Nachbar suchte man aber zuletzt auf. Wenn man endlich festgestellt hatte, daß er dort sein mußte, zog man mit Musik dahin, voran der Meister, dann die Gesellen, danach die Helfer. Die Gesellen hatten Ehrendamen, die Mägde vom Hofe und von den Nachbarn. Die Großmagd übergab vor dem Abmarsch dem Meisterknecht den „Kros", einen großen, irdenen Bierkrug mit Inschrift und Deckel. Viel Volk, besonders die jungen Leute, schlossen sich dem Zuge an.

Bei dem Nachbarn redete man erst wieder lange hin und her. „Hierher haben wir den Puppenstock gebracht, und wir wollen ihn wieder haben." In neuerer Zeit war es üblich geworden, den Baum zu verstecken, so daß die Bauhandwerker ihn oft lange suchen mußten. War er endlich gefunden, so hatte die Gesellschaft den Weg verloren. Dann mußte einer mit der „Lüchte" kommen. Selbstverständlich mußte erst „einer auf die Lüchte gegossen" werden. Mit der Lampe und Musik voran, ging es nun zum Neubau, aber auch dabei machte man manchen Umweg. Man zog zu den Nachbarn und suchte dort den Bau. Überall wurde getrunken. Der Puppenstock wurde unterwegs von dem Meisterknecht getragen. Den „Kros" trug eine der Kranzjungfrauen leer im Zuge mit.

Beim Neubau angekommen, trug der Meisterknecht den Puppenstock ohne besondere Zeremonien nach oben. Der

„Kros" wurde, nachdem der Bauherr ein Trinkgeld von einem Taler hineingelegt hatte, mit Bier gefüllt und dem Meisterknecht nach oben gebracht. Den Taler nahm er heraus, wenn er ihn leergetrunken hatte. Der Puppenstock wurde zunächst mit einem Nagel befestigt, dann mußte der Meister von unten loten, damit er auch gerade zu stehen kam. Natürlich gelang das erst nach vielen vergeblichen Versuchen, nachdem genügend „Lotwasser "und „Öl auf die Lampe" genommen war. War der Puppenstock befestigt, so begann die Rede des Meisterknechtes. Zuerst kam stets die Frage an den Bauherrn, ob ihm der Bau gefalle. Die Rede unterbrach er immer wieder mit einem „Prost, ihr Herren" und einem Trunk. Zuletzt brachte er alle möglichen Hochs aus, auf den Bauherrn, den Meister, die Kollegen, die Kranzjungfrauen, nicht zu vergessen den Koch und viele andere. Während der Rede stand der Meisterknecht im Hahnenholz, die Gesellen befanden sich auf dem Dachboden und begleiteten jedes „Prost, ihr Herren" und jeden Hochruf mit Kettengerassel. Das Publikum blieb unten auf dem Bauplatze. Nach der Rede wurde der Puppenstock geplündert. Die Bauhandwerker banden sich ihr Taschentuch um den Hals. Das war das Zeichen, daß sie frei essen und tanzen konnten. Das Einschenken auf der Baustelle hatte der Bauherr selbst zu besorgen.

Nun kam der Koch und lud in einem humorvollen Gedicht alle zum Essen ein. Dazu hatte der Bauherr in den letzten 100 Jahren meist ein Zelt geliehen. Mit Musik zog man dorthin. Gegessen wurde an einem langen Tische. Oben am Ende saß neben dem Bauherrn der Meister, dann folgten die Gesellen mit ihren Kranzjungfrauen, hierauf die Helfer und nun erst die geladenen Gäste. Das Essen glich dem Hochzeitsessen. Es gab eine Suppe, Kartoffeln mit Braten und zuletzt dicken Reis mit Pflaumen. Der Braten wurde wie bei der Hochzeit „auf den Tisch gespielt". Mit Musik ging der Koch mit dem großen „Schleef" herum und sammelte sein Trinkgeld. Nur die geladenen Gäste hatten ein Trinkgeld zu geben, üblich war ein Groschen. Gesellen und Helfer waren frei. Der Koch legte sich auch ein gutes Stück Braten zurück, das er mit nach Hause nahm. Die geladenen Gäste brachten Messer und Gabel selbst mit.

Nach dem Essen wurde der lange Tisch weggeräumt, der aus neuen Brettern, oft aber auch aus Wagenbrettern und „Flächten" (Seitenbretter beim Wagen) errichtet war, und es begann der Tanz. Bei der „Dönte" (Haushebung) führte, wie auch oft bei der Hochzeit, der Koch die Gesellschaft zum Tanz. Er ging dann in Hemdsärmeln und weißer Schürze, den großen Schöpflöffel in der Hand, voran. Den geladenen Gästen verkaufte ein Ordner Tanzabzeichen. Das Geld, zuletzt 50 Pfennig, war für die Musiker. Wie die Handwerker zum Zeichen ihrer Befreiung von allen Trinkgeldern das bunte Taschentuch trugen, so hatten die Helfer einen bunten Papierstrauß an der Mütze. Der wurde ihnen von den Mägden vor dem Abholen des Puppenstockes angesteckt. Als erster tanzte der Meister mit der Frau des Bauherrn, ihm schlossen sich der Meisterknecht und die Gesellen mit ihren Kranzjungfrauen und dann die andern an.

Am Tage nach der Hebung wurde der Bau zunächst gründlich nachgesehen, ob alles in Ordnung sei. Erst nach dem Frühstück begann wieder die Arbeit. Das Stroh für das Dach wurde von den nächstliegenden Bauern ausgeliehen. Es wurde in den nächsten Jahren zurückgegeben. Strohdächer kamen nach 1780, als die Brandversicherung für dieselben höher war als für Ziegeldächer, allmählich ab. Der Puppenstock blieb beim Eindecken bis zuletzt stehen. Für seine Entfernung hatte der Bauherr ein Trinkgeld zu geben.

Eine große Arbeit war nun noch zu verrichten, das Ausfüllen der Wände. In alter Zeit wurden die Zwischenräume im Fachwerk nicht mit Ziegelsteinen ausgemauert. Nachdem man zunächst ein Flechtwerk aus Weiden in den Öffnungen angebracht hatte, wurde dieses mit Lehm beworfen und dann glattgestrichen („Spiäkelwand"). Zu dieser Arbeit stellte jeder Bauer der Gemeinde wieder einen Knecht. „Kleidag" (Klei = schwerer Boden, besonders Lehmboden) nannte man den Tag. In der Spitze des Giebels blieb stets eine Öffnung („dat Ulenlock") für die Eulen frei. In Hagen findet man mehrfach Häuser aus der Zeit kurz vor 1800, bei denen die roten Ziegelsteine in den Zwischenräumen zu Figuren und Symbolen zusammengesetzt sind. Besonders der „Donnerbesen" als altes Schutzzeichen gegen Blitzschlag ist oft dabei zu finden (siehe Bild „Giebel").

G. Sinnen und Denken

1. Hexen und Aberglaube

Trotz aller Aufklärung war der Glaube an Hexen bei uns noch fast bis in unsere Zeit überaus stark. Jedes Unglück im Stall schob man Hexen in die Schuhe. Hexen kann man erkennen, indem man mit kleinen Holzstäbchen drei Kreuze auf den Weg legt. Kommt dann die Hexe daher, so kann sie nicht darüber, sie wirft die Stäbchen mit dem Handstock weg. Wir sehen schon an dem Stock, daß man durchweg alte Frauen als Hexen ansah. Folgende Erzählung möge den Hexenglauben veranschaulichen. Eine Hexe (Name wurde mir genannt) kam oft auf den Hof T. zum Betteln. Einmal wurde sie aber abgewiesen. Sie ging über die Diele hinaus, erbrach sich aber auf der Diele. Sofort hörten alle Kühe auf zu fressen. Bald darauf kam eine Zigeunerin, die sofort erklärte, den Tieren wäre etwas angewünscht. Sie versprach Hilfe, verlangte aber alles Geld und Gold (Schmuck), das im Hause war. Nachdem ihr das versprochen war, ging die Zigeunerin hinter den Kühen her und machte jeder drei Kreuze auf den Rücken („Hopp"), wobei sie sagte: „Häwwet gi twee schlechte Augen seen, seet gi twee goe Augen wi. Im Namen des Vaters und des Sohnes und des Hl. Geistes." Sofort fingen alle Kühe wieder an zu fressen.

Aus Furcht vor Verhexen galt als Regel: Handelsleute und fremde Personen nie über die Diele lassen, damit sie das Vieh nicht verhexen.

Den Hexen gleichzusetzen sind Leute mit dem bösen Blick, bei uns „bäuset Auge" genannt. Einen bösen Blick hat, wer eine besonders schwere Sünde getan hat. Wer nur ein Auge hat, von dem sagt man: Den hat Gott gezeichnet, solchem Manne ist nicht zu trauen.

Der Glaube an Menschen, die Vorgeschichten sehen konnten, war in unserer Heimat allgemein. „Spökenkieker" wurden diese Leute genannt. Sie wußten Leichenzüge, Brände und andere Unglücksfälle im voraus. Sah ein „Spökenkieker" ein Haus brennen, so mußte er hinlaufen und die Ständer anfühlen. Kalte Ständer zeigten einen Todesfall an, waren sie warm, so gab es einen Brand. Selbstverständlich gab es auch Personen, die „Wicken" (wahrsagen) konnten.

Außer den Nachtmahren, von denen erzählt ist, gab es noch „Schabemännkes". Die kamen aus dem Walde. Sie backten Brot, schnitten Häcksel, melkten die Kühe und dergleichen.

Eine Egge soll man nicht mit den Zähnen nach oben auf dem Felde liegenlassen, sonst setzt sich der Teufel darauf.

Wenn es nicht gut „buttern" will, muß man sich mit der „Karre" (Butterfaß) nachts auf einen Kreuzweg stellen und dort buttern. Auch ein geschriebener Segensspruch unter dem Butterfaß ist gut. In Hagen legte man auch wohl das Evangelienbuch oder einen Frosch darunter.

Sieben ist eine heilige Zahl und darum auch eine Glückszahl. Elf und dreizehn sind Unglückszahlen.

Viele Leute gaben ein bestimmtes Geldstück nie aus. Es war das Stück, das ihnen Glück brachte, Unglück und besonders Armut aber fernhielt. Ein solches Geldstück hieß „Hecktaler" (von „hecken" = vermehren).

Klingen jemand die Ohren, so wird irgendwo über den Betreffenden gesprochen. Vielfach denkt man dabei aber an Verleumdung, „se teet di dür". Es heißt auch: Linkes Ohr - Klinkohr (man spricht Gutes), rechtes Ohr - schlechtes Ohr (man spricht Schlechtes). Wenn die Ohren klingen, wird man noch viel Neues gewahr, sagt man auch. Wem die Nase juckt, der ist „neulik" (verdrießlich).

Hört man nachts etwas klopfen, so muß man bald heraus, weil es in der Nachbarschaft einen Toten oder Brand gibt.

Wenn eine Topfblume welkt, sagt man: Das Glück geht weg. Eine Begegnung mit einem jungen Mädchen bringt Glück, mit einem alten Weibe aber Unglück. Ein Strohhalm in der Stube kündet Besuch an.

An einem Montag fing man keine besondere Arbeit an, das wurde sonst nichts. „Maundag wät nich Weken ault."

2. Volksheilmittel

Es gab wohl keine Krankheit bei Menschen und Tieren, für die nicht irgend ein Kenner ein Gegenmittel wußte. Manche beruhten auf guter Naturbeobachtung und werden auch jetzt noch von Ärzten empfohlen. Sehr viele Heilmittel sind aber so abergläubisch, daß man immer nur wieder staunen kann, daß man jemals so etwas für möglich hielt. Doch ist unsere Zeit nicht ebenso wundergläubig? Im folgenden sind hauptsächlich Heilmittel angegeben, die mit dem Glauben des Volkes zusammenhingen.

Warzen („Woreln") entfernt man, indem man sie abbindet. Die Enden des Bindfadens muß man auf den Mist werfen. Dieses Abbinden ist aber nur bei abnehmendem Mond wirksam. Nach anderen muß man den Bindfaden über den Kopf wegwerfen. Man darf sich dabei aber ja nicht umsehen. Warzen verschwinden auch, wenn man damit über eine Leiche streicht. Man kann sie auch einem Toten mitgeben. Dann macht man soviel Knoten in einen Faden, wie man Warzen hat, und legt den Faden mit in den Sarg. Als ein anderes sicheres Mittel wird angegeben: Man reibe die Warzen mit einer Zwiebel („Siepel") ab und stecke die Zwiebel dann in ein Ständerloch. Sobald die Zwiebel verdorrt ist, sind die Warzen weg. Warzen verschwinden auch, wenn man mit der weißen Haut einer Bohnenschale darüber reibt. In Hagen hatte man ein anderes sicheres Mittel: Man reibt die Warzen mit einer Speckschwarte ein und vergräbt die Schwarte dann im Kirchweg. Man kann die Warzen aber auch wegbeten. Das ist aber nur bei „neuem Mond" möglich. Dabei muß man den Mond ansehen, drei Kreuze über die Warzen machen und dabei sprechen: „Wat ik sehe (das ist der Mond), dat wasse, wat ik strike, dat vörgau." Ein weiteres Mittel ist das Einreiben mit einer Schnecke. Wenn die Schnecke später vergeht (stirbt), gehen auch die Warzen weg. Nach der Volksmeinung kommen Warzen von reichlichem Salzgenuß.

Hühneraugen („Likdören") entfernt man, indem man sie mit der inneren weißen Haut einer grünen Bohnenschale abreibt.

Sommersprossen („Sommersprudeln") verschwinden, wenn man die erste Muttermilch (ehe das Neugeborene getrunken hat) darauf tut. Auch Waschen mit Buttermilch ("Karremiälke") hilft. Buttermilch überhaupt gibt eine feine Haut. Auch die erste Milch eines Pferdes oder noch besser einer Eselin ist gut gegen Sommersprossen.

Ein *Muttermal* verschwindet, wenn man damit eine Leiche berührt.

Nasenbluten hört auf, wenn man den kleinen Finger abbindet. Als weiteres Mittel werden empfohlen: Ein Geldstück (durchweg 2 Pfg.-Stück genannt), einen Schlüssel oder kaltes Wasser in den Nacken halten. Auch ein Guß kalten Wassers oder ein Messer vor die Stirn ("Platte") helfen gut.

Blutungen werden gestillt, wenn man Spinnengewebe auf die Wunde legt. Auch der Staub des Bowistes ("Üßenpüster", Üßen = Kröte) hilft. Man muß mit dem Staub aber sehr vorsichtig sein, damit er nicht in die Augen kommt, sonst erblindet man. Die Kinder wurden deshalb immer wieder gewarnt, ja keinen Bowist in die Hand zu nehmen.

Der *Schlucken* ("Schlickupp") verschwindet, wenn man dreimal schluckt ohne Atem zu holen. Auch Essen von Kalk oder Kreide hilft dagegen. Als sicherstes Mittel wird aber stets Erschrecken angegeben. Einen "Schlickupp" bekommt man, wenn man etwas Gestohlenes gegessen hat.

Den ersten *Speichel* am Morgen darf man nicht herunterschlucken, da er giftig ist, Wunden heilt er aber.

Bei *Entzündungen* gebraucht man eine Packung von frischem Kuhdung. Der Rückstand aus dem "Siggedok" (Tuch des Milchsiebes) ist gut gegen entzündete Augen, auch Urin wird in diesem Falle angewandt.

Um *Geschwüre* auszuziehen, legt man eine Eierhaut, eine Zwiebel oder Speck darauf. Auch eine Packung Hafergrütze leistet gute Dienste.

Um den *Schmerz* bei Brandwunden zu lindern ("Brand ausziehen"), legte man Eiweiß, ein Erlenblatt oder Weizenmehl mit Honig darauf. Eiweiß zieht sehr stark, ist aber für einen Augenblick sehr schmerzhaft. Hat man sich den Finger verbrannt, muß man mit dem Finger schnell das Ohrläppchen anfassen.

Alle *Läuse* im Hause verschwinden, wenn man einem Toten im Hause drei Läuse mit in den Sarg gibt. Gibt man dem Toten keine Läuse mit, wird man sie nie los („Erbläuse"). In Hagen heißt es aber, es muß stets eine paarige Anzahl sein. Bei Nervenschmerzen im Arm oder in der Hand nahm man nachts eine Kartoffel in die Hand. Diese zog die Schmerzen heraus.

Einen breiten Raum nahm unter den Heilmitteln des Volkes bis vor einigen Jahrzehnten das *Besprechen* („bespriäken") ein. Fast alle Krankheiten bei Menschen und Vieh konnten von bestimmten Personen besprochen werden. Unzählige Fälle, in denen das Besprechen sofort Erfolg hatte, werden von den alten Leuten erzählt. Besprechen konnten sowohl Männer als auch Frauen. Aber Männer konnten ihre Heilkraft durch Besprechen nur an Frauen weitergeben und Frauen nur an Männer. Wer aber „die Kraft" hatte, konnte Männern und Frauen helfen. Am meisten verbreitet war das „Brandbesprechen", d. h. durch Besprechen den Schmerz bei Brandwunden lindern bzw. ganz aufheben. Die notwendigen Zeremonien waren bei jeder mit „der Kraft" ausgestatteten Person verschieden. Allen war aber gemein, daß die Besprechung nur vor Sonnenaufgang vorgenommen werden konnte und der Verletzte auf dem Wege dahin nicht sprechen durfte, nicht einmal die Tageszeit wünschen durfte. Eine Frau besprach den Brand, indem sie drei Kreuze über die Wunde machte und dabei jedesmal den Spruch sagte: „Brand fall in'n Sand, owwer nich up Flesk un Blot."

Zum Besprechen machte man oft weite Wege. So berichtete ein alter Mann in Hagen von einer Besprechung in Bissendorf, wobei er folgendes beobachtete: Die besprechende Person nahm einen Topf mit Asche und steckte ein Messer hinein, dann hielt sie die Hand darüber und murmelte etwas. Darauf machte sie mit dem Messer drei Kreuze über die Wunde und sprach: „Jesus Christus reiset über Berg und Tal, über Flüsse und Meer und bespricht den Brand."

In Hagen befindet sich in Privatbesitz eine Beschreibung einer Besprechung. Es heißt darin: „Ich bespreche dich denn Brand mit meine vollen Hand. In Nahmen Gottes

Vatters † Sohn † H. Geistes ammmen.

Das er dich nicht mach Sengen und brennen; Daß er dich mach vergehen; als Thau auf den Brinke. In Nahmen Gottes V: G: Sohne H: Geistes Ammen. Dieses muß dreymal nach ein ander gesprochen werden."

In Hagen starb die letzte Frau, von der man sagte, daß sie den Brand besprechen könne, kurz vor 1900.

Stark verbreitet war auch das Besprechen von Drüsener-krankungen ("Pisseln"). Das mußte frühmorgens geschehen. Der Kranke mußte noch nüchtern sein. Die Zeremonien waren genau wie beim Besprechen des Brandes, nur wurden die Kreuze am Hals gemacht. Der Spruch ist nicht mehr bekannt.

Auch Viehkrankheiten wurden besprochen. "Entsen" nannte man das (von entsetten = befreien oder entsên = behexen). Hier glaubte man aber auch, daß Personen das Vieh verhexen konnten. Da galt es dann, dieses Vieh durch Besprechen wieder gesund zu machen. Es gab Personen, die alle möglichen Viehkrankheiten besprachen. Sie machten, daß die Kühe Milch gaben, daß die Kühe wieder anfingen zu fressen, daß sie keine blaue Milch gaben und vieles andere.

Auch gegen Diebstahl konnte man sich durch Besprechen schützen. Besonders oft ließ man sich die "Bleiche besprechen", damit das Leinen, das man wochenlang draußen zur Bleiche liegenließ, nicht gestohlen wurde. Ebenso ließ man Feldfrüchte, und hier besonders die Stangenbohnen (Fixebaunen), besprechen. Kam ein Dieb auf eine besprochene Bleiche oder ein besprochenes Feld, so war er darauf festgebannt und konnte nicht mehr von der Stelle. Der Dieb mußte dann aber vor Sonnenaufgang wieder losgesprochen werden, sonst wurde er schwarz. Zur Lösung mußte der Bannspruch rückwärts gesagt werden.

Auch gegen das "kalte Fieber" gab es ein Mittel. Man machte selbst ein kleines Kreuz. Dabei mußte der Querbalken aber durch den Längsbalken geschoben werden. Mit dem Kreuz ging man zum nächsten Bach, stellte sich dort auf, das Gesicht dem Hause, den Rücken dem Bach zugewandt, und warf nun das Kreuz über den Kopf in den Bach, aber so, daß es in Richtung des Bachlaufes fiel. Alles mußte morgens nüchtern geschehen, und es durfte nicht dabei gesprochen werden.

3. Tiere

Auch manche Tiere spielen im Glauben des Volkes eine Rolle. Einige künden Gutes an, während andere Unglück oder Tod anzeigen. Manche Deutungen sind schon im Laufe der Abhandlung berichtet. Hier mögen noch einige folgen.

Ein *Huhn*, das kräht, legt nicht mehr, deshalb muß man ihm den Hals umdrehen. „Hühner, die krähen, und junge Mädchen, die flöten, sind nichts wert", sagte man in Oesede. „Wo die Hühner krähen, hat die Frau die Büxen an." Machen die Hühner abends auf dem „Wiemen" noch Krach, gibt es einen Toten im Haus, meinte man in Hagen, während man in Oesede sagte, dann gäbe es den „Naudag Unnewiär" (andern Tag Unwetter). Schleppt ein Huhn einen Strohhalm auf dem Schwanz mit, so muß in dem Hause bald jemand sterben, manchmal heißt es auch nur, es kommt Besuch. Legen die Hühner öfters Windeier, so deutet das ein gutes Jahr an. Man meint, daß Hühner, die oft Windeier legen, zu fett sind. Legen die Hühner aber öfters „Hungereier", so gibt es ein schlechtes Jahr. Hungereier sind Eier, die nur Eiweiß, keinen Dotter enthalten. Will man Hungereier verhindern, so muß man eins in ein Ständerloch stecken. Sobald das Hungerei vertrocknet ist, legen die Hühner keine mehr. Hungereier darf man nie in einer Pfanne zubereiten, denn in einer Pfanne, in der ein solches Ei gewesen ist, kann man nie wieder etwas braten, es brennt stets an. – Hähne, die sich bekämpfen sollen, bekommen Donnerlauch (Hauswurz) ein, dann gibt es einen Kampf auf Leben und Tod.

Die *Schwalbe* ist nach dem Volksglauben ein Glücksvogel. Ein Schwalbennest im Hause bringt Glück. Deshalb wurde es nie ausgestoßen. Ja, beim Bau eines neuen Hauses sorgte man dafür, daß das alte Schwalbenpaar während der Bauzeit in der Scheune oder an einem andern Gebäude nistete. Wo Schwalben nisten, schlägt kein Blitz ein. Kommen die Schwalben im Frühjahr nicht in das Haus zurück, so muß dort in dem Jahre einer sterben, oder es gibt auf dem Hofe Brand. In Hagen sagt man auch, daß Schwalben in einem Hause, in dem Streit ist, nicht nisten oder im nächsten Jahre nicht nach dort zurückkehren. Die Schwalbe ruft: „Os wi wäggöngen, was düt Fack vull, was dat Fack vull; os wi wiekeimen, was olles verschlickert, verschlackert, verschlürt."

Der *Kauz*, auch „Likhohn" (Leichenhuhn) genannt, kündet durch seinen Ruf den Tod an. Er ruft: „Klä di witt, du moß baule mit" (weißes Kleid ist das Totenhemd). Die *Eule* schützte gegen Gewitter. Deshalb nagelte man eine Eule vor die große Dielentür und vor die Scheunentür, dann traf kein Blitz das Haus.

Der *Kuckuck* wird im Herbst zum Sperber (auch „Stautshabicht" genannt). Wenn man den Kuckuck zum ersten Mal im Jahr rufen hört, muß man Geld in der Tasche haben, dann hat man das ganze Jahr durch welches.

Der Ruf der *wilden Gänse* kündet Unglück an.

Wo „*Kronen* kränsen" (Kraniche kreisen), ist auf der Erde etwas nicht in Ordnung, dort stirbt bald einer, in Hagen heißt es noch: kommt Streit um Grundbesitz. Aber eine solche Stelle können die Kraniche nach der Volksmeinung nicht herüber kommen. Hört man Kraniche rufen, sieht aber keine, muß man in dem Jahre noch sterben. Ziehen die Kraniche früh zum Süden, gibt es einen strengen Winter. Die *Bachstelze* „Queckstärt" oder „Ackermännchen") macht die Reise aus dem Süden nach hier auf dem Rücken des Kranichs.

Die *Elster* hat keinen guten Namen. Elstern haben „gnarrige" (gnötterige) Jungen. Deshalb machen sie ihr Nest hoch in die Bäume, dann schaukelt der Wind sie, und sie sind ruhiger. Machen die Elstern auf einem Hofe viel Spektakel, so ist es dort nicht mehr richtig, es geht den Krebsgang. Daneben heißt es auch, daß dort, wo Elstern so lärmen, eine böse Frau im Hause ist oder die folgende Frau ein „Spektakelwams" sein wird. Trotz dieser schlechten Bedeutung wagt aber kein Bauer, die Elstern von seinem Hofe zu vertreiben, denn kommen sie in einem Jahre nicht wieder, gibt es ein Unglück.

Die *Kohlmeise* („Tinnemeise") ruft für gewöhnlich „Ninive! Ninive!" Im Frühjahr ist ihr Ruf aber „Spinn dicke! Spinn dicke!", d. h. die Mägde sollen dickere Fäden spinnen, damit sie bald fertig sind, bald beginnt die Arbeit auf dem Felde. Deshalb nannte man die Meise auch „Spinndicke".

Wo viele *Fledermäuse* fliegen, ist das Haus von Fleischdiebstahl bedroht.

Der *Holzwurm* wird auch „Wanduhr" und „Totenuhr" („Doenuhr") genannt. Sein Klopfen zeigt an, daß einer sterben muß.

Es ist nicht gut, wenn der *Maulwurf* im Stalle oder auf der Diele einen Erdhaufen aufwirft. Sowohl im Stall als auch auf der Diele war früher kein Stein- oder Zementpflaster, die Erde war nur festgestampft und auf der Diele eventuell eine Lehm- oder Mergelschicht. Wirft der Maulwurf bei Trockenheit viele Haufen, so gibt es bald Regen, wirft er im Stall Haufen, so gibt es ein Unglück.

Wenn *Schafböcke* sich stoßen, gibt es unbedingt Sturm und Unwetter.

Über den *Hasen* ist die Volksmeinung geteilt. Einerseits sagt man: Wenn ein Hase über den Weg läuft, hat man Unglück, daneben wird aber behauptet, ein Hase bringt Glück, ein Eichhörnchen dagegen Unglück. So sagte man, wenn auf dem Wege zum Markt ein Hase über den Weg lief, werde man einen guten Preis erzielen, lief aber ein Eichhörnchen darüber, so gab es kein gutes Geschäft, oder beim Kauf eines Tieres, man hätte kein Glück damit. Allerdings war der Aberglaube meist nicht so stark, daß die Leute umkehrten. Von einem jungen Bauern, der auf Brautschau ausging, wird allerdings erzählt, er wäre umgekehrt, als ihm ein Eichhörnchen über den Weg lief. Für eine gesegnete Frau bedeutet ein Hase, der vor ihr über den Weg läuft, immer ein Unglück. Nach dem Volksglauben erhält dann das Kind eine Hasenscharte („Haßmund"). Nach anderer Meinung bedeutet nur ein Hase von rechts Unglück, während er Glück anzeigt, wenn er von links kommt.

Mäuse und Ratten hängt man in den Schornstein, dann werden alle Mäuse und Ratten im Hause ausgeräuchert.

4. Mond und Sterne

Vom Mond hängt für die bäuerliche Bevölkerung das Wetter ab. Aber nicht nur das, auch auf die Pflanzen hat er großen Einfluß. Besonders wichtig ist die Mondphase bei der Aussaat. Im „Wannen", oder wie man in Hagen sagt, im „Utgaun", das ist bei abnehmendem Mond, darf man nicht säen. Als Regel galt in Oesede: Was auf die Erde kommt, also alles was gesät wird, muß im „Wassen" (bei wachsendem Mond), was aber in die Erde kommt, was gepflanzt wird, muß im „Wannen" gesät bzw. gepflanzt werden. In Hagen heißt es etwas anders. Dort werden bei zunehmendem Mond alle Kohlarten, bei abnehmendem Mond aber Winterweizen, Erbsen, überhaupt alles, was eine dicke Schale hat, gesät.

Wenn man Obstbäume pflanzt, sollen in der folgenden Nacht kein Mond und keine Sterne scheinen. Beim Pflanzen sagt man: „Nu bringe frö riklike Frucht mit Gottes Siägen."

Wo eine Sternschnuppe hinfällt, da kreuzen sich zwei starke unterirdische Wasseradern. Sternschnuppen sehen aus wie „Poggenschräpsel" (Froschlaich). Wer Geld in der Tasche hat, wenn eine Sternschnuppe fällt, hat das ganze Jahr Geld. Wenn man sich etwas wünscht, bevor die Sternschnuppe erlischt, geht es in Erfüllung. Wenn eine Sternschnuppe, auch „Drakel" genannt, fällt, sagt man: Der Teufel bringt Geld weg.

Auf dem Feld (nicht bei der Hausarbeit) ist abends Feierabend, wenn man sieben Sterne zählen kann.

5. Wind und Wetter

Bei einem Gewitter wurden Türen und Fenster geschlossen, es durfte kein Zugwind sein, das Feuer wurde gelöscht, eine geweihte Kerze angesteckt, und Palmstöcke wurden verbrannt. Man betete den Anfang vom Johannis-Evangelium. Während eines Gewitters durfte man nicht essen. „Den Schlafenden laß schlafen, den Fresser aber schlage tot!", hieß es. In alter Zeit wurde mit Böllern geschossen, dann sollte das Gewitter wegziehen („Donner scheten"). Bis zur Ablösung (nach 1836) mußte jeder Bauer dem

Küster jährlich eine Stiege Roggen (20 Garben) geben. Nach alten Akten ist diese Abgabe für das Läuten bei Unwetter.

Im Freien soll man unter Buchen oder Tannen Schutz suchen, bei schweren Gewittern ist die Tanne aber nicht ganz sicher. Eichen und alles weiche Holz (Weiden, Erlen, Linden) muß man meiden. „Die Buche sollst du suchen, die Eiche sollst du meiden." Vor die große Einfahrtstür oder an die Scheunen-Tür nagelte man eine Eule, dann sollte kein Blitz treffen. Wo der Blitz einschlägt, da kreuzen sich zwei Wasseradern. Der Donnerlauch (Hauslauch oder Haus-wurz) soll das Haus vor Blitzschlag schützen. Donnerlauch darf man aber nicht von einem andern Hause nehmen, das schlägt nicht an, sondern man muß ihn von draußen holen. Mit dem Finger darf man nicht zum Blitz oder zum Regen-bogen zeigen, sonst bekommt man den Wurm hinein („Ark").

Wenn die Schneeflocken flogen, sagte man: „Se fanget do bowen an to spinnen." Bei dicken Flocken hieß es: „Nu spinnt se Hehen" (Hede). „Do sind de aulen Wiwer am Hekeln" (Hecheln). „Do breet se de Spinndisen an, un Flocken schmit se wäg."

Wenn plötzlich starker Sturm ist, sagt man: „Es hat sich einer aufgehängt", oder „es ist einer ins Wasser gegangen."

6. Wetterregeln

Schint de Sünne uppt natte. Quick (Zweig),
      dann riänget olle Augenblick.
Schint de Sünne upp'n natten Steen,
      dann giff 't oll baule wir en (wieder einen).
De Sünne geht in 'n Diek (Dunkel), muorn riänget.
Hänk de Maund upp'n Koppe, dann schwet 't (trok-
      ken Wetter),
      lig he in Rügge, dann föt he upp'n Water.
      Wenn der Mond einen Hof hat, gibt es Regen.
Auwendraut goot Wiär bedaut,
      Muorgenraut de Straude flaut.
Fällt der Nebel, gibt es gutes Wetter,
      steigt er, so gibt es schlechtes Wetter.

Sau os de Niwel upp 'n Biärg tüt, kümp he dr wä aff.

März spaken (trocken), April naten, Mee van beden,
dann brink et Roggen un Weten.

Wenn der Hahn kräht auf dem Mist,
ändert sich das Wetter, oder es bleibt, wie es ist.

Kräget de Hahn no 'n Nest, wät (bliff) dat Wiär to
best (os et est)
oder: Wenn de Hahn met Kräggen no 'n Wiem get,
wät't den ännern Dag goot Wiär.

Kräht der Hahn abends auf dem Wiemen, ändert sich
das Wetter.

Laufen die Hühner schnell ins Haus, gibt es nur ein
Regenschauer,
gehen sie aber in den Regen, so hört es so bald
nicht auf.

Tüt de Reiher (oder: Stork) to Biärge, dann giff't
schlecht Wiär,
tüt de Reiher to Water, dann giff't goot Wiär.

Wenn der Specht lacht, gibt es Regen.

Fliegen die Schwalben hoch, gibt es gutes Wetter,
fliegen sie tief, gibt es Regen.

Hat die Schnecke Erde auf dem Schwanz, so gibt es
schlechtes Wetter,
trägt sie Gras, gibt es gutes Wetter.
Man sagt dann: „De Schniggen högget" (heuen).

Quaken abends die Frösche, gibt es gutes Wetter.

Wenn de Poggen räpket (quaken), giff't goot Wiär.

Wenn der Hund Gras frißt, gibt es Regen.

Als Wetterregel für die einzelnen Wochentage galt:
Fridag häff sin egen Wiär. Fridagswiär is Sönndags-
wiär.

Kein Sauterdag sau natt, de Sünne schint doch watt.

Sauterdag nau de Vesper un Sönndag nau de Misse
is de ganze Wiäken wisse.

Wät de Haumißlüe (Hochamtsleute) natt, gifft de ganzen Wiäken watt.

H. Singen und Sagen

Wir haben schon mehrfach gesehen, daß in alter Zeit auch
bei uns viel gesungen wurde. Ja, es wurde wohl mehr gesungen als in unseren Tagen. Nicht nur bei Zusammenkünf-
ten, auch bei Arbeiten stimmte man vielfach ein Lied an.
Leider sind kaum noch alte Lieder erhalten. Sie wurden zu
früh durch moderne Lieder ersetzt. Jetzt ist nicht mehr
festzustellen, welche Lieder früher gesungen wurden. Erhalten sind dagegen eine ganze Reihe Kinderlieder und
-reime. Aber auch hier ist nicht zu entscheiden, was boden-
ständig war und was in neuerer Zeit übernommen wurde.
Diese Lieder, Reime und Redensarten sind aber nicht alle
Plattdeutsch, eine ganze Reihe wurde hochdeutsch gesungen, bei manchen finden wir nur eingeschobene plattdeut-
sche Wendungen.

Sehr reichhaltig war der Sagenschatz unserer Heimat. An
den langen Winterabenden wurden am Herd und hinter
dem Spinnrad Geschichten über Geschichten erzählt, je
gruseliger, desto besser, von Hexen, vom Teufel, von Kerlen
ohne Kopf, vom „Wiegaun" (Umgehen), von Besprechungen, von Unholden, von vorher angezeigten Unglücksfällen, von Irrlichtern und anderen seltsamen Dingen. Sie
aufzuführen ist nicht möglich, da ein großer Teil von ihnen
von den Erzählern erfunden wurde. Die Sagen unserer
Heimat sind 1935 zusammengefaßt in dem Buch „Von
unserer Väter Art und Sinnen" von F. Weitkamp. Es sind
hier nur einige noch nicht veröffentlichte aufgenommen.
Sprichwörter und Redensarten sind nur in soweit verzeichnet, wie sie im Laufe der Sammlung vorkamen. Die aufge-
führten bilden nur einen geringen Teil aus dem reichen
Schatz unserer Voreltern.

1. Sagen

Die Hexen bei Bauer Kleine-Wördemann in Gellenbeck

Vor vielen, vielen Jahren merkte man bei dem Bauer Kleine-Wördemann, daß die Pferde des Morgens immer sehr müde waren. Die Pferde wurden damals nachts auf die Weide getrieben. Jeden und jeden Morgen waren die Pferde so todmüde, daß sie des Tags nicht arbeiten konnten. Da sagte der Bauer: „Wir müssen eine Nacht aufpassen, was mit den Pferden geschieht." Nun versteckten sich am Abend zwei Männer nahe bei der Weide. Plötzlich fing es in der Luft an zu brausen. Mehrere Hexen kamen mit einem Sieb auf die Weide geflogen. Sie legten das Sieb beiseite und stiegen auf die Pferde. Sie ritten dann, bis der Morgen graute und flogen mit dem Sieb wieder durch die Luft davon. Am andern Morgen meinte der Bauer: „Wie werden wir die Hexen nur los?" Ein Mann riet: „Ihr müßt den Hexen das Sieb wegnehmen." Am Abend machten sich mehrere Männer auf und versteckten sich bei der Weide. Als die Hexen wieder mit den Pferden fort waren, holten sie das Sieb. Bei der Rückkehr suchten die Hexen nach dem Sieb und konnten es nicht finden. Da gingen sie zu dem Bauern und baten: „Gib uns das Sieb zurück, dann sollst du uns auch nie mehr wieder sehen." Erst wollte der Bauer nicht, aber zuletzt gab er ihnen doch das Sieb heraus. Die Hexen ließen sich nie wieder sehen.

Die Hexe und der Knecht

Dem Bauern Kleine-Wördemann fiel einst auf, daß sein Knecht jeden Tag sehr müde war. Er fragte ihn nach dem Grund. Der Knecht wollte erst nicht so recht mit der Sprache heraus. Der Bauer bat aber immer dringender, und endlich erzählte der Knecht: „Jede Nacht werde ich wach, dann wirft ein Geist mir ein Pferdegeschirr über, und ich werde zu einem Pferde. Er steigt dann auf meinen Rücken und reitet auf mir die ganze Nacht herum." Der Bauer riet dem Knecht: „Du mußt wach bleiben und, sobald du einen Laut hörst, die Hände hoch heben, das Geschirr fangen und es dem Geist selbst aufwerfen. Dann schwingst du dich

hinauf, reitest zum Schmied und läßt einen Huf beschla-
gen." Der Knecht tat, wie ihm geheißen war. Er warf dem
Geist das Geschirr auf, ritt zum Schmied und ließ einen Huf
beschlagen. Dann trabte er heim, zog das Pferd, das nie-
mand anders als der Geist war, in den Stall und ging zu Bett.
Am andern Morgen polterte und trampelte jemand in der
Küche. Es war eine Magd. Sie hatte an einem Fuß ein
Hufeisen.

Das Männchen bei Schwengel in Hagen

Vor vielen Jahren saßen mehrere Männer oft an Sonntagen
während des Hochamtes in der Wirtschaft Schwengel in
Hagen und spielten Karten, statt ihre Sonntagspflicht zu
erfüllen. Der Wirt hatte sie schon wiederholt gebeten, während der Kirchzeit das Spielen zu unterlassen. Eines Sonntags machte er ihnen wieder Vorwürfe und forderte sie auf,
zur Kirche zu gehen. „Und wenn der Teufel selbst kommt,
uns zu holen, wir gehen doch nicht hin!" schrie einer der
Männer in aufbrausendem Zorn. Kaum hatte er aber das
Wort gesprochen, so saß unter dem Tische ein großer,
schwarzer Hund mit riesigen, glühenden Augen. Alles
Locken und Drohen war umsonst, der Hund bewegte sich
nicht. Er knurrte nur böse. In ihrer Angst und Not holten
die Männer zuletzt den Pastor. Nach langen Beschwörungen gelang es dem, den Hund zu entfernen. Der sprang in
der Gestalt eines kleinen Männchens fort und vor den
mittleren Giebelbalken des Schwengelschen Hauses. Alle
weiteren Beschwörungen und Besprechungen blieben ohne
Erfolg, das Männchen rührte sich nicht von der Stelle. Vor
vielen Jahren hat ein Schmied versucht, das Männchen mit
Gewalt zu entfernen, aber auch das war vergeblich. So ist
das Männchen dort noch jetzt zu sehen.

Der Mechelbusch in Sudenfeld

Der Bauer Gretzmann in Sudenfeld hatte vor langer,
langer Zeit eine Tochter mit Namen Mechel. Die war so
fleißig, daß sie in jeder freien Minute vor dem Spinnrad saß
und spann. Sogar an Sonntagen konnte sie das Spinnen nicht
lassen. Dafür konnte sie nach ihrem Tode im Grabe keine
Ruhe finden. Besonders sonntags hörte man bald auf der

Hiele, bald in der Häckselkammer, bald auf dem Boden das Spinnrad schnurren. Es wurde zuletzt so arg, daß die Dienstboten in Angst gerieten und nicht mehr auf dem Hofe dienen wollten. Da ließ der Bauer einen Pater aus Osnabrück kommen, der das Gespenst beseitigen sollte. Nach langen Beschwörungen gelang es dem Pater endlich, das Gespenst in einen Busch, etwa 10 Minuten vom Hof entfernt, zu bannen. Von nun an hörte man des Abends und Nachts Mechel oft in dem Busch spinnen. Der Busch bekam daher den Namen Mechelbusch. Einmal schlug der Bauer in dem Busch Holz. Als das zum Hofe gefahren wurde, will ein Knecht Mechel mit dem Spinnrad hinten auf dem Wagen sitzen gesehen haben. Jedenfalls hörte man das Schnurren von Mechels Spinnrad wieder auf dem Hofe. Der Bauer ließ wieder den Pater kommen, der das Gespenst noch einmal in den Busch bannte. Dabei gab er aber dem Bauern den Rat, das Holz aus dem Busch den Armen zu geben. Das geschah, und seit der Zeit hat man von Mechel nichts mehr gehört.

Diese Sage ist schon mehrfach veröffentlicht. Durch Zufall gelang es dem Verfasser festzustellen, daß Mechel wirklich gelebt hat. In dem Archiv des Hauses v. Korff, dem Gretzmann früher eigenhörig war, heißt es zum Jahre 1659: „Der jetzige Besitzer Johann to Loesen und Ehefrau Anneken Gretzmann haben zwei Töchter Anneken und Mechel benedictam." Nie findet man sonst in dem Archiv einen ähnlichen Zusatz. Was „benedictam" bedeuten soll, ist schwer zu entscheiden, da manche lateinische Ausdrücke damals eine besondere Bedeutung hatten. Wahrscheinlich wollte der Schreiber die Frömmigkeit und Sittsamkeit Mechels hervorheben. Es ist aber ebensogut möglich, daß Mechel Gesichte oder ähnliche Gaben hatte, und der Schreiber sie darum „benedictam" nannte.

*

Es möge nun noch die bekannte Legende von dem Armen und dem Reichen folgen, wie unsere Vorfahren sie umgeändert haben. Gerade hier sehen wir, wie die Alten an derber Komik ihre Freude hatten. Wir bemerken aber auch, wie im Plattdeutschen Derbheiten, die im Hochdeutschen gemein klingen würden, viel natürlicher wirken.

De Arme und de Rieke

In Aulen Tien, dau use Herrgott no upp Ären gönk, dröp
et sik mol, dat he auwends no uppn Wiäge was un kein
Wärtshus to seen was. Dau seug he twe Hüser am Wiäge.
Dat ene wör en grauden stautsken Burenhoff, dat ännere
son lüttken Prumenküöter. Dau dachte use Herrgott: „De
bur häf Platz, do kann ik düsse Nacht sicher woll bliwen."
He gönk in't Hus un frög nau. „Nie", segg de bur, „jeden
Handwerksbursken niäme ik nich upp, gonk man wieder."
Dau gönk de Herrgott no den Küöter un fraug do nau.
„Jau", segg de saubuts, „kum man rin, viäl Platz häwwet wi
ja nich, owwer en Mann kann immer no bliwen." Dau gönk
de Herrgott in't Hus, sette sik an'n Disk, eit mit de Lü to
Auwend un schlöp do auk. Os he am ännern Muorn wieder
gaun woll, bedanked he sik un segg: „Weil gi sau goot to mi
wisen sind, saal ju dat erste Wiärk, dat gi muorn fro doot,
auk glücken." „Is oll goot", mende de Küöter, „un goe
Rese."

Am ännern Muorn dachte de Küöter oll gar nich mär an
dat, wat de Früemde seggt harre un fönk an, dat Stell
afftoteen (Leinen vom Webstuhl nehmen). He teug een no
dat ännere Stück aff, he teug un teug, un dat Stell wöt nich
lieg. Dau dachte he doran, wat de Früemde seggt harre. Et
dure nich lange, dau hören de Lüe, wat do passeert wör, un
een no den ännern keim, keik sik de Sake an un löt sik
vertellen, wau dat kuomen was. Os de rieke bur dat hörre,
wört he ganz dull. „O, ik Döskopp, harre ik den doch
uppnuomen! Wat mak ik nu?" Dau föll em inn, he könne
jä achter den Früemden herrien. Dat döt he auk un dröp
usen Herrgott auk baule. Nu fönk he an sik to entschulli-
gen, he harre et nich sau ment, he harre güst Iärger hatt, dau
wö em dat sau herutfluogen. Wenn he mol wär vörbikeim,
mösse he owwer bi em bliwen. „Jau", segg de Herrgott,
„wenn ik vörbi kuome, will 'k dat don." Dau menne de bur,
off he nich auk sau wat kriegen konne, wie sin Nauwer.
„Dat geet woll", segg use Herrgott, „ist owwer nich goot
för di." De Bur birre un plaugere owwer sau lange, bes de
Herrgott siä: „Na goot, wenn du dat abslut wuss, dann sall
di auk dat erste Wiärk, dat du muorn fro dös, glücken." De
Bur wör tofriä un reit wär no Hus. Unnerwächens dachte

he immer oll: Wat make ik blaut. Endlik föll em dat richtige in, wie he mende. „Ik weet, watt ik doe. Ik telle Geld." In Gedanken seug he oll dat vele, vele Geld, dat he immer man tellen konn. Des Auwends legg he ol enen ganzen Büel vull Geld uppn Disk, dat he den ännern Muorn saubuts anfangen konn. In de Nacht konn he gar nich schlaupen, he seug immer den Haupen Geld.

Am ännern Muorn stönt he oll ganz frö upp. Jüst woll he sik an'n Disk setten un anfangen to tellen, dau mösse he iäm no ute Büxten. Owwer watt wör datt! Os he uppen Abee (Klosett) satt, woll dat gar nich upphören, he konn sitten und sitten, et neim kein Ende. Dau föll em in: „O, datt is jä min erstet Wiärk vandage." Un sau wör et, un sau bleiw et. He konn ümmer uppn Abee sitten bliwen. Tolest hätt se em upp en Aalfatt sett un uppen Lande herümefört, sau harre he wenigstens no etwas Nutzen davon. De Küöter owwer konn sin Liäwelank Laken affteen.

2. Lieder und Reime

Wiegenlieder

A 1.   Schlaup, Kindken, schlaup,
     Do buten geet en Schaup,
     dat häw söcke witte Föte,
     dat giff de Miälke söte,
     Schlaup, Kindken, schlaup.

2.   Schlaup, Kindken, schlaup,
     Do buten geet en Schaup,
     dat häw söcke witte Wulle,
     dat lött de Miälke strullen,
     Schlaup, Kindken, schlaup.

B   Schlaup, Kindken, söte,
     Ik wege di mit mine Föte,
     Ik wege di mit 'n Paar aule Schoh,
     Kindken, mak de Augen to.

C   Schlaup, min Kindken, schlaup söte,
     Ik wege di mit de Föte,
     Ik wege di mit 'n Paar aule Schoh,
     Schlaup, min Kindken, schlaup to.

D   Schlaup, min Kindken, ik före di,
      Bar ik en Stöksken, dann schlög ik di,
      Owwer du bis no sau lütk un sau kleen,
      Saß nu auk no föret sin.

E   Schlaup, min Kindken, ik före di,
      Heiliger Engel, de halet di
      Ut de Wegen in dat Graw,
      Dann kom ik van dat Wegen van aff.

F   Suse, Kindken, suse,
      Do achter usen Huse
      Do geht en Käl mit'e Kipen,
      De will use Kinni gripen,
      Schlaup, Kindken, schlaup.

G   Suse, Kindken, suse,
      Achter usen Huse
      Do stet son Bäumken kruse,
      Do sitt söcke rohe Äppelkes upp,
      De fallt usen Kindken olle uppen Kopp.

H   Suse, min Kindken
      Löp öwern Damm,
      Har woll en Paar Huosen an,
      En Paar Huosen un en Paar Schoh,
      Kindken, nu mak doch de Äugelkes to.

J   Suse, min Kindken, in't Küssen,
      Äppel, Biren un Nöte,
      Zuckerfeigen, Mandelkörn,
      De iärt de kleenen Kinner gärn.

K   Suse, min Kindken lewe,
      Wat steet in dinen Brewe?
      Do steet wat inne beschriewen,
      Wecke nich häff, de kann nich giwen.

L 1. Suse, bruse, Kättken woll öwer den Damm,
      Use Kindken, dat häff son bunt Röcksken an.
      De Glocken, de fankt an to klingen,
      Use Kindken, dat fänk an to singen,
      Flink, flank, floria,

2.   Kindken woll no de Schole hengsun.
      Moder, Moder, en Botterbraut!
      Legget uppe Träppen.
      Moder, Moder, de Katte häfft friäten.

Howwe iär den Stät aff,
Nich to kott un nich to lank,
Dat use lütke Wicht do auk no mit danzen kann.
Flink, flank, floria.

M   Suse, Kindken, ik wege di,
De hilligen Engelkes halet di
Ut de Wegen in dat Graw,
Komm't wi vann dat Wegen aff.
Suse, Kindken, suse.

N   Suse, bruse, Kättken, wo wullt du hento?
Öwer dat graude Water no'n Bruthuse hento.
Do schlachtet s'n Schwin,
Do drinket se Win,
Do sall usen Heini sine Hochtied woll sin.

O   Miesekättken van Halle
Wat steet in usen Stalle?
Ene schöne, bunte Mukkoh
Und de hört usen Kindken to.

P   Miesekättken van Halwertadt,
Bring doch usen Kindken watt.
Watt sall ik den Kindken dann bringen?
En Paar goldene Ringe,
En Paar Schoh mit Sülwer beschlaun,
Do kann use Kindken mit to'n Danzen gaun.

Q   Höö, Kindken, höö,
De Rörpott bräkk'n Ör.
Har dat Kindken stille wisen,
Wör de Rörpott hele bliwen,
Höö, Kindken, höö.

Kinderlieder und Reime

A   Tüllülüt, min Mann is krank,
Tüllülüt, wat feilt er dann?
Tüllülüt, n' Flaske Win.
Tüllülüt, dat mag woll sin.
Tüllülüt, n' Stüksken Stuten.
Tüllülüt, do löpp'e buten.
Tüllülüt, n' Stüksken Braut.
Tüllülüt, dann geet'e daut.

B   Kättken satt in'n Schottsteen
      Un flickere sine Schroh.
      Dau keim de grise Grüwwel (Grausen)
      Un neim en sinen Süwwel (Pfriem).
      Dau keim de swatte Koh
      Un neim em sine Schoh.

C   Kättken leent min Wagen,
      Ik will no Briämen henjagen.
      Os ik in Briämen kam,
      Do seit de Koh vor'n Für un spann,
      Kälwken laig in'n Wegen un sang:
      Flämus (Fledermaus), wo is din Hus?
      Do buom upp de Kamm,
      Wat makt se dann?
      Ik waske mi.
      Wat wusse dann?
      Mit 'n Kind nor'e Kiärken.
      Wau saal dat Kind dann heten?
      Arme Grete.
      Wecke saal dat Kind dann taufen?
      Pastor mit t' witten Knäupe.
      Wecke saal dat Kind dann lüen?
      De Köster mit den Rüen.
      Wecke saal dat Kind dann wegen?
      Twee Miten (Mücken) un twee Flegen.

D   Putke, patke, Piärd beschlaun,
      Woll'n den haugen Biärg uppgaun,
      Haugen Biärg no Bielefeld
      In de düstern Kiärken.
      Wat was do dann drin?
      So'n ganz kleen, kleen Kindken.
      Wat harr dat in sin Händken?
      So'n ganz kleen, kleen Böksken.
      Wat stönt do drin beschriwen?
      Von Var un Moor
      Un Süster un Broor
      Scher di weg no de Giämkebur (Gellenbeck).

E   Sünneküken flüg upp,
      Flüg den haugen Biärg upp,
      Den haugen Biärg no Bielefeld,

Bring den Papen dat Opfergeld.
Wat steht do in de Kiärken?
En so kleenet Wichtken.
Wat häff dat in sin Händken?
En son kleenet Böksken.
Wat steht do in to läsen?
Var, Moor, Süster, Broor,
Sipel, Sur, Kunterbur.
App, App, Köster giff di'n Klapp.
(Letzter Vers auch: Scher di hen, du scheewe Bur.)

F   Wat lüt de Klocken in Gräweloh:
1. Min Dummen, min Dummen,
2. Min Ellnbogen, min Ellnbogen,
3. Min Finger, min Finger.

G   Siege, sage, Hottewage,
Mölentwei,
Klabusasei (oder: Klabusasei in'n Graben).

H   Siege, sage, Hottewage,
Mölenrad, quiksase in'n Graben.

J   Ik giwe di'n Daler,
Go non Markt,
Kaup di ne Koh
Un en kleen, kleen Kälwken dorto.
(Bei jedem Vers streicht man dem Kinde durch die Hand,
Beim letzten Vers kitzelt man ihm die Handfläche.)

K   Zehn Jahr ein Kind.
Zwanzig Jahr ein Jüngling.
Dreißig Jahr ein Mann.
Vierzig Jahr fängt's Alter an.
Fünfzig Jahre Stillstand. Sechzig Jahre Rückgang.
Siebzig Jahr ein Greis.
Achtzig Jahr schneeweiß.
Neunzig Jahr der Kinderspott.
Hundert Jahre Gnade bei Gott.

L   So'k di es wat vörtellen
Van schnipp, schnapp, schnellen ?
Bur soll mi Strau giwen,
Strau wo'k de Küskoh giwen.
Küskoh soll mi Miälke giwen,
Miälke wo'k den Bäcker giwen.

> Bäcker soll mi Stuten backen,
> Stuten wo'k de Brut giwen,
> Brut soll mi Broon (Braten) giwen,
> Broon wo'k de Mamme giwen.
> Mamme soll mi Titte (Brust) giwen,
> Titte wo'k den Kättken giwen.
> Kättken soll mi Müse fangen,
> Müse wo'k in Schottsteen hangen.

(Mäuse und Ratten hing man in den Schornstein, um damit alle Mäuse und Ratten im Haus „auszuräuchern".)

M   Knipmi un Bitmi göngen in enen Goren.
      Bitmi gönk herut, wecke bleiw drinne?

Antwortet der Gefragte „Knipmi" so wurde er gekniffen. Ganz Schlaue gaben zur Antwort: „De ännere".

N   Wenn die Kinder vom Bickbeerenpflücken zurück-
kamen, sangen sie:

> Bickbieren donn, donn (stramm, satt);
> Ersben (Erdbeeren) satt, satt;
> Karspen (Kirschen) watt, watt;
> Wäg mit d'n Surkaul ut't aule Fatt.

O   Zum Bastlösen sangen die Kinder beim Flötenma-
chen:

> Schnipp, schnapp, schnulle,
> De Köster gönk no Rulle,
> Woll Stutenmiälke iäten.
> Sure Miälke mag he nich,
> Stutenmiälke gaff et nich,

Un Os he wikam, was dat Püppken rehe, rehe, rehe (vielleicht von „reke" = die richtige Beschaffenheit haben, bei „rehe" wurde der Bast abgezogen).

P   Die Jungen stellten sich auch sogenannte Wald-
hörner her. Dazu nahm man einen Rindenstreifen von einer Erle oder Weide. Als Bastlösereim wurde auch vorstehender Reim gebraucht, nur sagte man statt „Küster" jetzt „Katte" und für „Püppchen" hier „Piepken". Die gelöste Rinde wurde spiralförmig aufgerollt und war einem Horn ähnlich. Die einzelnen Spiralen wurden mit Schwarzdornen zusammengesteckt. In das Mundstück kam eine „Flarre" (Zunge), die aus einem Erlen- oder Weidenstock gemacht wurde.

Abzählreime

1. Wi willt nich lange Hokuspokus maken,
   Du saß et sin.

2. 1, 2, 3, 4, 5, 6, 7,
   Wo ist denn nun mein Schatz geblieben?
   Ist nicht hier, ist nicht da,
   Ist wohl in Amerika.

3. Ich schlage auf mein rechtes Bein,
   Wer nicht ausläuft, der soll es sein.

4. Lange, lange Riege,
   Twintig is ne Stiege,
   Dattig is 'n Rosenkranz,
   Vättig is 'n Jungfernkranz,
   Anne Marie sitz.

5. Min Var löt en ault rund Rad beschlaun
   Un root mine lewen Hären, wo vele Nägel do to hört.
   10 - 1, 2, 3, 4, 5, 6, 7, 8, 9, 10.

6. Äppelken, Päppelken, pile, pale, pole, puff.

7. O du nott, de dicke Möppel de mott.

8. Äppelken, Päppelken in den Pott,
   Wecke 100 is, de mott.
   Teggen, twintig, dattig - - - 100.

9. Eene, mene, mina, masch,
   Steck die Peder in die Tasch,
   Feder, Dinte und Papier
   Hab ich alle Zeit bei mir.
   Bauer, Bauer laß uns gehen,
   Hier sollen 24 stehen.

Fingerreime

1. Dümmling,
   Pingerling,
   Lankmann,
   Josef,
   Quiäkstärt.

2. Lütkelinger,
   Goldfinger,
   Langeländer,

Pottlicker (Topflecker),
Luseknäcker.

3.   De halt Holt,
De böt an,
De kuoket den Pott,
De sett't uppen Disk,
Un de Kleene frätt't olle upp.

4.   Dümmling wollt nach Jerusalem reisen,
Fingerling wollt 's nicht haben,
Lankmann ging vor 's Molkenschapp,
Josef wollt was zu essen haben,
Da kam der kleine Quiäkstärt und aß alles auf.

Sprichwörter

1.   Bitter in den Mund
Is den Hatte gesund.

2.   Hände in'n Schaut
Giff kein Braut.

3.   Waren (behalten) is Häwwen,
Wiekriegen is Kunst.

4.   Wennt Auwend is,
Dann spinnt de Fulen
Un juchet de Ulen.

5.   Wenn de Sünne schint in Westen,
Abetet de Fule am besten.

6.   De Welt is vuller Pien,
Un jeder dräg de sien'n.

7.   Söte Miälk un wittet Braut
Schmeckt de kleenen Kinner gaut.

8.   Kopp vull Baunen
Is den Düwel sine Klaunen (Klauen).

9.   Wi de Backen, sau de Hacken.

3. Rätsel

1.   Puttke, pattke, öwer de Brügge,
Puttke, pattkke, aff de Brügge,

Häff den Kaiser un Könik sin Berre uppen Rügge.
(Gäuse, Gänse)

2. Voren lebändig, mirren daut, achtern magt wol Speck
   un Braut.
   (Piärd, Plog un Fohrmann, Pferd, Pflug und Fuhr-
   mann)

3. Tweebeen satt upp Dreebeen unner Veerbeen. Dau
   schlög Veerbeen Tweebeen, dau neim Tweebeen Dreebeen un howwere Veerbeen.
   (Wicht, Miälkebuk un Koh, Magd, Melkschemel und
   Kuh)

4. Ik sitte uppen Klösken
   Un luse min Fösken,
   Je länger dat ik luse,
   Desto kleener werd't Fösken.
   (Diesen, Spinnrad)

5. Et wör en goldenet Piärdken
   Mit en langen Stiärtken,
   Je länger dat dat Piärdken löp,
   Desto kötter wör dat Stiärtken.
   (Naudel und Fam, Nadel mit Faden)

6. Witt Land häwwe ik,
   Swatt Saut sägge ik,
   Dat Mänken, dat doröwer geet,
   Wet sülwest nich, wat druppe steet.
   (Papier, Fiären un Dinte)

7. Im Sommer frät't, im Winter schitt't.
   (Balkenschlopp)

8. Achter usen Huse, do steht ne Kunkelfuse,
   Do schiet se in, do mieget se in,
   Vöneime Hären stippet ere Braut drin.
   (Immenstock)

9. Achter usen Huse, do plöget de schwatte Kruse,
   Aune Plog un aune Piärd, weke mag dat woll sin?
   (Wanneworp, Maulwurf)

10. Auwends steet vör'n Berre un japet.
    (Holsken)

11 Pastor un sin Moor,
   Köster un sin Broor

Delden sik drei Pankoken,
Un jeder kreig enen ganzen.
Wau gönk dat to?
(Pastor und Köster wören Brörs)

12. Hüppelken, Püppelken up de Bank,
Hüppelken, Püppelken aff de Bank,
Et is kein Dokter in Engeland,
De dat Hüppelken, Püppelken kureern kann.
(Egg, Ei)

13. Ses Köppe, teggen Beene,
Root gi Hären int gemeene.
Könnt gi Hären dat woll roon,
Drü gi minen Mann woll broon.
Könt gi Hären dat nich denken,
Möt gi mi den Mann wier schenken.
(En Vugelnest mit 5 Jungen in einen Piärkoppe)

4. Redensarten

Sehr reich ist die bäuerliche Sprache an bildhaften Ausdrücken und Redewendungen. Es sollen hier einige folgen:

„De bur bedenkt sik sievenmol, ehe he enmol unnern Balkenschlop herget."

„De stält den Herrgott den heelen Dag aff," sagt man von einem Faulen.

Wenn jemand über schlechtes Licht klagt, meint man: „Bind di ne Katten vört Knee, watt du dann nich süß, dat sütt dee."

„He geit int Klauster, wo Fruslüe- un Mannslüe-Holsken vörn Berre stoot" - er heiratet.

„Ordnung rigeert dat Hus, Knüppels de Rüen."

„He häff de Klocken lüen hört un weet nich, wo se hanget."

„Glatt Holt anne Rungen leggen" - bei jemandem gute Stimmung machen.

„Kik, segg de Katte, do keik (guckte) se in'n Pott, dau kreig se enen mit'n Schlef an'n Kopp," ruft man neugierigen Kindern zu.

one delicate hoop earring; a metal lighter; a cork-
screw; and a small plastic bag filled with tiny
blue pills.

I picked up the bag and looked at the pale-
blue dots. I wasn't going to take any; I didn't
even know what they were. But as I fingered my
bounty, I felt myself relax.

The feeling of vulnerability slipped away. I
was in control.

Thomas Adler

(Not Tom. Never *Tommy*.)

THE SMELL OF rotten eggs was in my nostrils as I drove to the office. It was all in my head, I knew that. The eggs weren't rotten. And I'd washed away the slimy residue on my vehicle. Still, the putrid, metallic scent seemed determined to haunt me. Was it in my clothes? My hair? I sniffed my sleeve. It wasn't. My brain was playing tricks on me. I needed to let go of the stupid incident and its accompanying odor. It was nothing more than a minor nuisance. . . . But it was the last thing I needed right now.

I hadn't had time to wash the house properly. Water alone wouldn't remove the sticky slime solidified on the plate glass window. It needed soap. And a squeegee. But I had to pick up marketing materials at the office and then get to a